まえがき

私がアムステルダムに滞在したのは一九九八年の秋から冬にかけてだったから、二十年以上が経ったことになる。訪問後、オランダ徒然に……といった感じで、これまで書いてきた文章をまとめたものが本書である。執筆したのは古いもので一九九九年、新しいものは二〇一九年だから、この二十年間、折に触れ何かしらアムステルダムやオランダについて記してきたということだ。

本書は、三冊の読書と私の旅の回想とからなっている。

表題作「デューラーと共に」は、タイトルに誘われてアルブレヒト・デューラーの『ネーデルラント旅日記』を読んでみると、彼と私の間には五百年の隔たりがあるにも拘わらず、デューラーが見た絵画や風景を、私自身も見たことがあるというようなことが何度も出てきた。そこには不変のものと移ろいゆくものとが記されていて、一緒に旅しているような気分になったことが契機となった。「水の都の街角で」は、私のささやかな思い出の開陳である。旅に出ることと人に出会うことは、私にとって同義であることの一つだ。話したことはいつまでも記憶に残る。記憶に残るとは心に残るということだ。だから私にとっては大事な思い出なのである。

「『レンブラントの世紀』を読む」と「『チューリップ・バブル』を読む」は、ともにオランダの黄金時代である十七世紀を取り扱った著作の、書評というよりは紹介とでも言うべきものである。

『ジャパン・アズ・ナンバー・ワン』（エズラ・ヴォーゲル）といわれた一九八〇年代、似た例が過去にあったということで、十七世紀中葉のオランダに陽が当たった。ほとんど突然にといった勢いで世界の経済センターに駆け上がった先行者オランダに学べ、という訳だ。学ぶのは成功の理由ばかりでなく、その凋落の原因を探り、それに備えるためではなかったか。『レンブラントの世紀』を読めば、オランダの成功は、他国に先駆けての近代化によるものなどではなく、その後進性にこそ求められるべきだと教えられる。そして凋落の原因は、『平家物語』よろしく「盛者必衰のことわり」であった。また『チューリップ・バブル』を読めば、まず、魔力とも呼ぶべき人を惹きつける花の力を知ることになる。さらにチーリップ・バブルは、一九九〇年のバブル崩壊と似てはいても、まったく次元の違う出来事であったことも明らかになる。確かに十七世紀のオランダから学ぶことは多いのである。

「低地オランダの都市美」は、熊本市職員研修センター編・平成十年度海外派遣研修報告書に掲載した内容で、現場を訪問して見聞したことや都市の成り立ちや景観について調べたことなどを記している。

「水の都の風景」は、「低地オランダの都市美」の拡大版といった趣で、私にとっての「水の都の風景」とはどのようなものか、訪問した諸都市について、思ったことや感じたことを書き連ねている。

まえがき

「その後の映画や展覧会から」は、オランダで出会った作品と、日本で再会したときの印象の変化、その時々の思い出などを記したものである。例えば、ロッテルダムのボイマンス美術館でブリューゲルの「バベルの塔」をはじめて見たときと、日本で再会したときの印象のあまりの違いや、「風景画の誕生」展の観賞は平成二八年熊本地震の前震当日で、予定を一日でも遅くしていたら観賞は叶わなかったことなど、忘れられないことばかりだ。

右の通り、本書は私にとってのネーデルラントの旅の回想と思索である。各章は独立しているので、どの章から読んでいただいても構わない。

デューラーと共に　ネーデルラント旅日記◉目次

まえがき　1

デューラーと共に『ネーデルラント旅日記』を読む

はじめに　12　税関巡り　15　ネーデルラントの風景　18
河川洪水古今東西　22　ゼーラントの旅・危機一髪　27
歯科通院とグローバル化　32
スケート・マラソンとアムステルダム・マラソン　34　目的成就　37
中世の秋の世界　40　百代の過客　46

水の都の街角で――晩秋のアムステルダム

はじめに　52　アムステルダム国立美術館　54
ファン・ゴッホ・ミュージアム　56　コンセルトヘボウのランチコンサート　59
アルメーレ　フレーボラント　65　道案内　68　運河の散歩　71
サマータイムの終わり　列車の中で　77
南へ北へ　ハーデスレブ　ロンドン　バーゼル　80
姉妹都市ハイデルベルク訪問――バーバラ・ガイスラー嬢との再会　85
旅との出会い　90　アルメーレ再訪　92　レリースタット　97

ファンヴァルサン氏のこと　99　フランス・ハルス美術館の思い出　106
帰り道　109　帰国　111

『レンブラントの世紀』（ヨハン・ホイジンガ著）を読む

はじめに　114　十七世紀、オランダ独自の繁栄　116　都市について　125
社会について——寛容ということ　127　芸術について　130
油彩画　134　フランス・ハルスとフェルメール　138
彫刻と建築　140　凋落の兆し　142

『チューリップ・バブル』（マイク・ダッシュ著）を読む

はじめに　148　ヨーロッパ伝来　150　チューリップの父　154
ブーム到来　159　チューリップの王者　162　オランダ人気質　164
チューリップ狂時代　165　バブル崩壊　168　チューリップ博士　170
風刺文学・風刺画の登場　172　兵どもが夢のあと　174

低地オランダの都市美

はじめに 178 都市計画情報センター 179 都市としてのアムステルダム 184
デルタ・プロジェクト 190 芸術と都市美 193
美術館の建築 都市の建築 197 終わりに 200

水の都の風景

はじめに 206 ヴェネチア 207 アムステルダム 211
ヒートホールンと柳川市 215 熊本市 218 絵画と水の都の風景 221

帰国後の映画や展覧会から

映画「みんなのアムステルダム国立美術館へ」 228 「ゴッホ」展 237
「オランダ・ハーグ派」展 241 「風景画の誕生」展 247
「バベルの塔」展 253

あとがき 259
初出一覧 262

デューラーと共に　ネーデルラント旅日記

ヨーロッパ中部

アムステルダム市街地略図

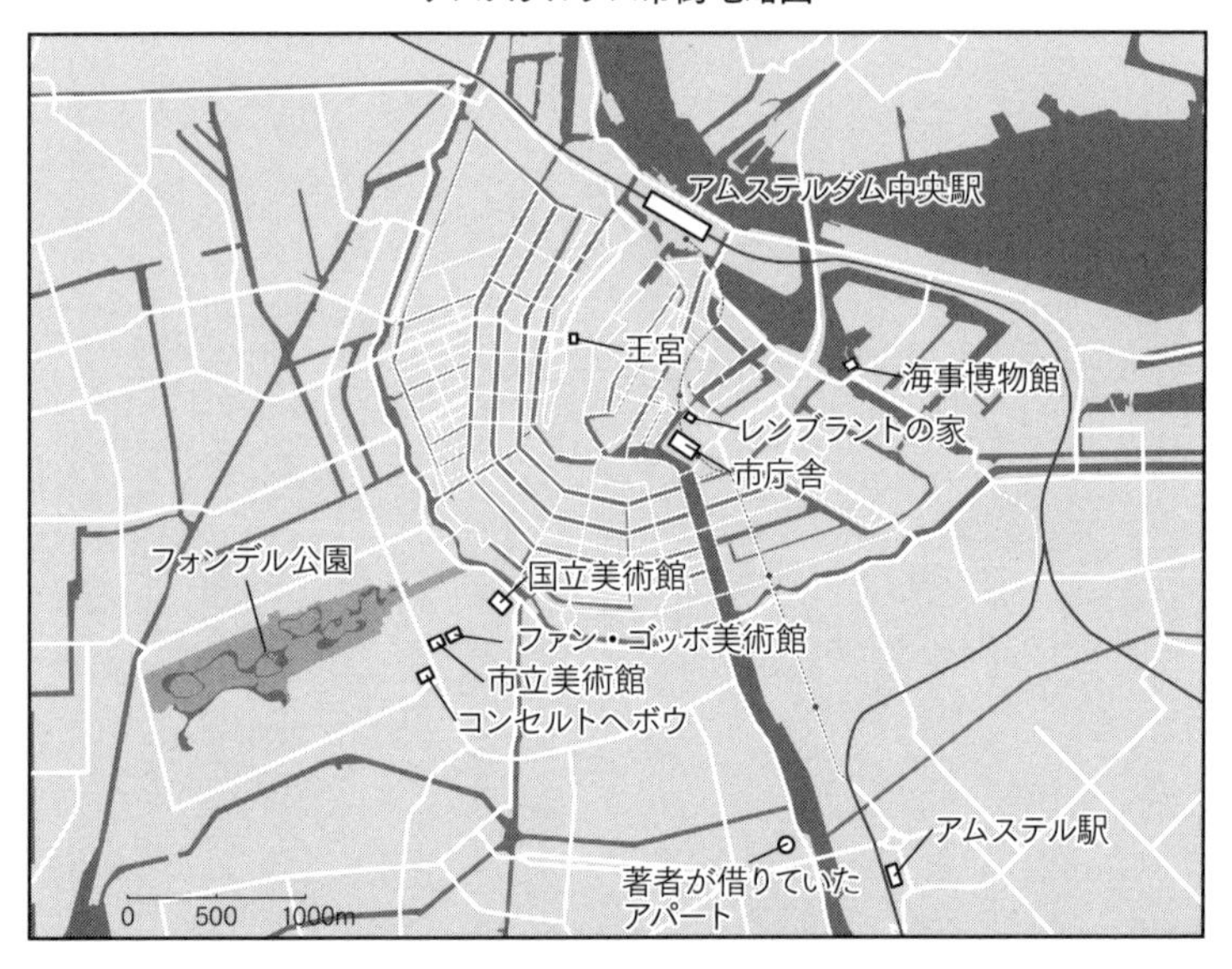

デューラーと共に　『ネーデルラント旅日記』を読む

はじめに

アルブレヒト・デューラーの『ネーデルラント旅日記』によれば、彼がアントウェルペンを目指して故郷ニュルンベルクを旅立ったのは、今からちょうど五百年前の一五二〇年七月十二日。旅はおよそ一年にわたり、その間にデューラーは満五十歳を迎えている。

旅の第一の目的は、ハプスブルク家から支給されていた年金が滞っていたため、直接その請求をしようというものだった。では何故行先がアントウェルペンなのか。それは先帝でデューラーの熱心な庇護者であった神聖ローマ帝国皇帝マクシミリアン一世が亡くなり、新たに即位するカール五世（スペイン国王カルロス一世）が戴冠式に臨むため、はるばるスペインからアントウェルペンを経由して会場となるアーヘンまで出向いて来るからであった。

ウィーン美術史美術館に展示されているデューラーの傑作の一つであるマクシミリアン一世の肖像画。黒衣を身に着け、その上に美しい毛並みの茶色の毛皮を纏い、鍔の広い黒色の帽子を被った皇帝は、王権を示すようなものを何も身に着けていない。やや右側を向いた姿勢で佇み、左手で柘榴の実を掴んでいるが、これは彼が世界の支配者であることを象徴する図像学上のアトリビュート（持物）である。そして深い緑色のモノトーンで描かれた背景左上部には、ハプスブルク家の双頭の鷲のエンブレムと王冠が描かれている。帝王とはまさにかく在るべき、と思ったことを思い出す。

一五一二年、デューラーは、ニュルンベルクを訪れたマクシミリアン一世に謁見し、いくつかの作品を受注して年金を獲得した。また、旅の二年前（一五一八年）には、皇帝のスケッチも行っていた。その皇帝が亡くなったのである。デューラーの動揺はいかばかりであったか。実は皇帝の死後、このスケッチを基にして前述の肖像画は制作されたのである。なお即位した二十歳の新帝はマクシミリアン一世の孫に当たる。

デューラーの旅から四百七十八年後の一九九八年九月二九日、三十八歳の私はアムステルダムへ三カ月の旅に出た。デューラーが六百キロ余りの行程に二十日間を要したのに対し、出発地と目的地を点で結ぶジェット機の旅は、ほんの半日で九千キロを移動する。しかし馬車に乗って景色を眺めながら、人々と触れ合いながらの旅も捨てたものではあるまい。ましてや歴史に名を残す大芸術家の日記からそれらを知ることができるのだ。興味が湧くのは当然であろう。

時代を超えて、と大仰に構えるつもりも、デューラーと張り合う気も毛頭ないが、私も日記をつけているので、時の流れや景色の違いなど、また不変の事柄などについて思いを巡らせてみたい、そう思ったのである。ところがデューラーが記しているのは、主に出納簿である。では何故「デューラーと共に」などという紛らわしいタイトルなのか、と思われるだろう。理由は簡単だ。ともかくネーデルラントを横断する道程であること、要するに『ネーデルラント旅日記』という本のタイトルが私を誘ったのである。それに僅かではあるが、旅の見聞についての記述も存在する。また、当時の貨幣価値やデューラーにとっては自明のことで記されてはいないことも、邦訳本（二〇〇七年・岩波文庫）では、訳者である前川誠郎氏によって、本編と分離されて二段書きにされた注釈と、巻末に添えられた秀逸な解説とにより、私のような素人でも、当時の様子がおぼろげながら浮かび上がってくるのである。

繰り返しになるが、これは、現代の旅人である私が思うこと、ときにはデューラーになったつもりで思うことなどを付け加えて、歴史を行ったり来たりしながらその足跡を辿ってみようと思ったことに端を発する、一つの試みである。

私の訪問先であるアムステルダムが世界の経済センターとなり、現在のような運河と豪華なカナル・ハウスの街並みを形成するのは十七世紀半ばであり、デューラーの旅から、まだ一世紀を待たなければならない。

デューラーの時代の経済センターはアントウェルペンであった。またヨーロッパの状況は、宗教改革のなか、プロテスタントの台頭に対してカトリックが制圧に出るという構図で、いわゆる宗教戦争が勃発する。デューラーの日記には、ルターやエラスムスといった名前も登場するが、それは単に当時の有名人としてではなく、彼の知人としてである。デューラーのセレブリティ振りも特筆に値する。

それはともかくネーデルラントの宗教戦争は宗主国スペインからの独立戦争へと発展して行く。スペインの攻勢の前にアントウェルペンの人々は戦禍を避け、東へ東へと逃れてゆくのであるが、沼沢地で容易には攻め込めない自然の要害たるアムステルに辿り着き、そこに堤（ダム）を築いて都市を建設したのだった。そして十七世紀半ば、僅か百年足らずでアムステルダムは世界の経済センターとなるのである。

それから「ネーデルラント」といっても現在のオランダとイコールではない。オランダ、ベルギーのほぼ全土と見てよい。それで日記にはベルギーの諸都市が出てくる。ベルギーがネーデルラントから独立を宣言するのは一八三〇年である。

税関巡り

前説はここまで。それではデューラーと一緒にネーデルラントへの旅に出てみよう。五百年前、長期の旅では転居するほどの支度が必要だったのではないかと思われるし、準備も今とは大きく異なるはずで、そこにも興味が湧くが、日記は出立日からはじまる。

デューラーは、アグネス夫人そして召使の女性スザンナを伴い馬車に乗って出発した。よって馭者もいる訳だが、それに護衛まで雇っている。中世の旅はそれほど危険だったのか。理由を知れば何でもないことだが、それは小人数の旅であったことと、自らの作品を大量に携行していたからであった。つまり商いも旅の目的の一つだったのだ。五十歳のデューラーは既に広く知られた大画家であったのだから。しかし現在のようなプロフェッションとしての美術商はまだいなかったのだろうか。

出発翌日、フォルヒスハイムを経てバンベルクに到着。そこでデューラーは当地の司教から一枚の通関券と三枚の紹介状、計四通のいわゆる通行手形を手に入れる。現在であればパスポートである。その通行手形を携えて領地を脱出する訳だが、翌十四日には三回、十五日にも三回、十六日には二回という有り様で、領地を移動する度に税金が課せられていたことがよくわかる。ケルン到着までの十二日間に税関通過は、日記に記されているだけで三十三回に及ぶが、通関券の威力は絶大で、その提示により、税の支払いを求められたのは僅かに二度だけ。いずれも七月二三日の出来事である。一回目のエーレンフェルスでは二グルテン、現在であればおよそ十万円を支払ったが、二カ月以内に免税査証を持参すれば、返却するとのことであった。もう一度はカウプという場所で、支払ったのは十一ヘラー、一万二千円ほどである。

この水戸黄門の印籠とも呼ぶべき通関券および紹介状をデューラーに与えたバンベルクの司教は、シュンク・フォン・リンブルク家のゲオルグ三世という人物で、美術愛好家として知られ、デューラーの顧客でもあったと注釈にある。上記の書類に加え、司教はデューラーの宿代まで支払っている。贔屓の程がわかるというものだ。それにしても通関券がなかったとしたら、デューラーは一体いくら支払うことになっていたのだろうか。

さて、税関巡りの様相を呈するデューラーの旅路であるが、現代の日本人ツーリストにとって、封建時代ドイツの税関施設として特に有名なのは、ローレライの岩などを含むライン河クルーズの景勝地であるマインツ～コブレンツ間に位置するプファルツ城である。何故といって、旅行のガイドブックには、関税を徴収するためにプファルツ選帝侯が建設したと必ず説明されている上に、中洲島に立つ瀟洒な古城は風景としても傑出しているからだ。

税関でえらい目にあった翌日の七月二四日、ザンクト・ゴアールを通関するが、税官吏から「これまでどのような扱いを受けたか」と質問される。デューラーはぶっきらぼうに「金は払わない」と言ったのだが、「ザンクト・ゴアールはトリーヤ領で、トリーヤとバンベルク両司教庁間には通関協定があり、双方の通関券が有効であった」（四三頁）と注釈があり、彼がこのことを知っていたのと、その前日に不本意な扱いを受けたことから、こうした物言いになったのであろう。

次のボッパールトでは、「印章付きの書面でもって私が普通の商品は持っていない旨を保証しなければならなかった。すると税関吏は私を快く通してくれた」（四三頁）と記しているが、解説によると、既にトリーヤの税関において、デューラーは「普通の商品は持っていない」（二〇二頁）旨の申告をしていたのである。よって莫大な量の版画とその他の美術品をネーデルラントへ持ち込もうとしていたにも拘わらず、それらは〈普通の商品ではない〉ということで無税となったようである。

しかしこのような苦労をしてまで請求すべき年金とは、どれくらいの額だったのか。先に述べたが、一五一二年頃からデューラーは《凱旋門》や《凱旋車》等の大木版画、そしてマクシミリアン一世が聖ゲオルギウス騎士団に頒布を予定した祈祷書の周縁装飾挿絵等の制作を請け負っており、その報酬として約束されたのは年百グルテンであった。帝が亡くなった時点で、既に二百グルテンの未払い金があったのだが、一グルテンは現在の貨幣価値だとおよそ五万円に相当する。しかもデューラーは帝の生前からこの問題解決のための請願に手を尽くしていたのである。デューラーが旅に出るのも納得できるというものである。

ネーデルラントの風景

デューラーは、風景についての観察や感想も所々書き留めている。どの国もそうだが、風景には変化するところと、そうでないところがある。オランダはそれに加え、ポルダーとして知られる干拓事業によって、国土自体が絶えず拡大している。ポルダーは沼沢地を堤防で囲み、その中に溜まっている水を、葦などの植物に吸わせ、また風車を利用して水を汲み出し、大地を生成する。すると出来上がった大地は水面よりも下に位置することになる。逆転の風景と言ってよかろう。わが国では、岐阜県の輪中や東京のいわゆる海抜ゼロメートル地帯などが同様の地形である。

そのような土地をデューラーも訪れている。オランダ南西部の洪水常襲地域であるゼーラント地方である。オランダ語でゼーとは海のことである。同様にラントは土地や国土という意味で、海の土地や海の国といった意味になる。

デューラーは、ゼーラントを七つの島からなると記しているが、地図を見れば一目瞭然たる地形で、そのデルタ地帯は、一九八〇年代にすべてサージバリア（可動堰）で連結された。オランダは一大国家プロジェクトとして、この七つの島を巨大な開閉式堤防で繋いだのである。完成式典にはベアトリクス女王も臨席した。この破格のインフラ整備は、デルタ・プロジェクトと名付けられ、アムステルダムやハーグやロッテルダムのように有名ではないが、水との闘いにおいて、オランダ人が勝利した結果として存在している。

デューラーの日記に戻ると、「ゼーラントは水の故に見るも美しくまた珍しい。何故なら水が地面より高いからである」（一一九頁）と記されている。

私にもいくつかの風景が思い浮かんでくる。中学校時代の同級生で、アムステルダムに本部を置くソニー・ヨーロッパに勤務していた岩田薫さんにドライブに連れて行って貰ったとき、どこまでも平坦なオランダの国土を走行していると、突然道路が下り短いトンネルを通過して車はすぐまた上昇した。線路か高速道路でも潜ったのかと振り返ると、船が航行しているのが見えた。私たちは運河の下を通過したのだった。

風車群で有名なキンデルダイクの近くでは、土手を昇ると、足元に水面が現れた。通常なら丘の上から町を見下ろすような良い眺めを期待するところであろう。しかしこの逆転の風景がオランダでは日常なのである。

またデューラーは、ミデルブルフという町について、「良い町で、一基の立派な塔を持つ大そう見事な市庁舎があって、すべてが美術品である。修道院には実に美しい座席があり、石の「彫刻のある」立派な階上廊付きの教会堂と美しい地区教会とがある。その他この町は何でも写生するに値する」（一一八〜一一九頁）と褒め上げている。微細な部分にまで彼の観察眼が発揮されていて、美に対するデューラーの姿勢がわかる気がする。言うまでもないことだが、彼の作品は、技巧ばかりでなく眼差しからも生まれたのである。ウィーンのアルベルティナ美術館に所蔵されている有名な『うさぎ』や『芝草』といった水彩画の緻密な表現も、このように対象へ目が向かなければ生まれるはずはない。もちろん対象に肉薄するデューラーの天才的なセンスが、そこに加わるのではあるが。

ミデルブルフは私にとっても、通過しただけであるにも拘わらず思い出の町である。その理由はこうだ。

デルタ・プロジェクトを訪問するべく、開館時間や交通アクセスなど問い合わせたときのことである。電話の相手は、列車やバスを利用した場合の経由地の名前などを丁寧に教えてくれた。アムステルダム中央駅からインターシティー（急行列車）でゼーラント州の中心都市であるミデルブルフ経由でヴリッシンゲンという町まで行くのだが、「スペリングがわかりません」と言うと（今ではMiddelburgであると知っているが）、「大丈夫、わかる、わかる」と言って「Mathematics のM、information のI……」というように、Vlissingen についても同様に「victory のV、Language のL……」と教えてくれたのである。はじめは電話代がいくらになるのかとはらはらしたが、判り易いように長めの単語（間違えようのない単語）を使ってくれているのがわかったし、何より真剣さが伝わったので、私も真剣に取り組み、目的が果たされると嬉しくなってしまった。私の頭の中には、電話の先に映画『ジョーズ』の主人公の一人である海洋学者の顔が浮かんでいた。楽しい思い出である。

話が逸れてしまったが、ミデルブルフに関する記述を読んでいて、これだと思う絵画が思い浮かんだ。アムステルダム国立美術館所蔵の『ミデルブルフの港』（一六二五年）である。作者はアドリアーン・ファン・デ・フェンネ。デューラーの訪問からおよそ百年後の作品であるが、日記に記されているような街の姿が捉えられている。画面下部左側から上部右側に向かって、ミデルブルフの町へと通じる運河が描かれている。運河の幅は、二十メートルはありそうだ。左側上部にはデューラーが称賛した立派な市庁舎らしき建築を囲むようにして、遠景のミデルブルフの街並みが見える。そこには、いかにもネーデルラントらしい破風を持った中層建築が広大な範囲にわたってびっしりと並んでおり、町の繁栄が窺える。運河には、マストに威厳のあるエンブレムをあしらった旗をなびかせた帆船を中心にして、大小の船が列をなして航行している。両脇の堤防に目を移すと、船を曳航する牛を操る農夫や、それに纏わりつく犬たち、またレースの襟飾りに黒衣、山高帽という正装の騎馬団の行進や見物の人々など賑やかである。画面右側の堤防の先は陸地であるが、運河の水面よりはるかに低い。そこでも作業に精を出す農民たちなど、活気に溢れる様子がこれでもかと描き込まれている。

私が漠然とイメージするネーデルラントの風景とはこのようなものである。どこまでも平らな低地と、その景色にアクセントを与える都市群、それに水辺といったものである。そして陽気な人々の姿も忘れてはならない。

河川洪水古今東西

一九五三年一月三一日から二月一日にかけてオランダ南西部のデルタ地帯で大洪水が発生し千八百三十五人が犠牲になった。オランダで単に「洪水」と言えば、それだけで、この大洪水を指すという。隣国のドイツやデンマーク、イギリスなど北海沿岸の広い範囲で多くの犠牲者が出た。この年、私の住む熊本でも六・二六水害と呼ばれる大水害が発生していて、同様に熊本で「水害」と言えば、ある程度の年齢から上の人にとっては「六・二六」のことを指す。また「六・二六」と言えば、それは水害のことである。調べればすぐにわかることではあろうが、この年は世界的な水害の年だったのではないか、と勝手な想像も浮かぶところだ。

日本とオランダの水害の特徴を比較してみるなら、豪雨によって引き起こされた土砂崩れによる鉄砲水や、滝のような河川を濁流が流れ下り猛威を振るう日本と、海から押し寄せる高潮と大雨による大河川の増水との合わせ技のオランダに、荒っぽく分けることができるだろうか。

六・二六水害では、阿蘇に源流を発する白川に架かる橋桁には大量の流木が絡まり合うようにして引っかかり、それらによって橋はダムと化し、流れを堰き止められた濁流は氾濫して市街地へなだれ込んだ。

オランダの水害の風景も、氾濫、決壊ではある。大河川ラインの上流で大雨が降れば、川の水位はゆっくりゆっくり増して行く。それに満潮や、さらに大潮が重なったりするとやはり水は行き場を失うのである。

河況係数という概念がある。年間で流水量の最大時と最小時で何倍の差があるかを示すもので、河況係数が小さいほど、流量は安定していると言うことができる。観測場所によっても数値は異なるが、ヨーロッパ諸国の大河川を見ると、ライン河ではバーゼルで十八、下流のケルンなどではもっと少ない数値になるはずだ。テムズ川ではロンドンで八、ドナウ川ではウィーンで四、というようにせいぜい一桁から二桁であるが、日本の河川では一〇〇くらいは当たり前で、一〇〇〇を超える河川も少なくない。例えば四国・吉野川では五〇〇〇を超えるほどである。この数値が、河川の特徴を示すと同時に、洪水の現れ方の違いを表現する一つの指標にもなっていると言うことができる。日本でも最近、台風や短時間の記録的豪雨などで河川の決壊は馴染みの災害となってきた。どうやら地球温暖化は明らかなようで、時間当たり百ミリを超す雨量もしばしば観測されるようになった。したがって河況係数もさらに大きくなっていると推測できる。また台風の勢力も拡大し進路も変化していて、広範な地域で川の氾濫や堤防の決壊が日常茶飯となりつつあるという印象だ。

河況係数の高い日本の河川において、洪水対策は他の国よりも進んでいるはずだが、それでも一時間に百ミリ以上の雨が数時間も続いたりすると大規模災害が発生する。

アメリカに目を転じれば、源流から約三カ月をかけて海へ至るミシシッピ川では、上流のセントルイスで氾濫が起こると、その下流に位置するメンフィスや海沿いのニューオーリンズでは十日から二週間後に水位の上昇がはじまるという。

デューラーに戻ると、一五二〇年十二月八日の日記に「私たちは水没した土地の傍らを通ったが、屋根の先が水中から出ているのを見た」（一一六〜一一七頁）とある。記述はそれだけだが、じわりじわりと上昇した後の水の様子を見ただけで、恐ろしさを感じるような濁流や水位の上昇を見たのではあるまい。屋根の先が見えた家屋は、おそらくある程度澄んだ水に浸かっていたのではないか。日本の水害のそのような様子をみれば、記述はまったく違ってくると思われる。例えば水害を描いた絵画を見較べてみればよい。

日本では天災の絵としては、地震や富士山の噴火などを描いたものが知られているように思うが、例えば円山応挙の『七難七福図巻』（一七六八）の災害の巻、その第一はやはり地震で、日本における災難の最高位に位置するのは、現代になってからという訳ではないようであるが、第二が水害で、無残な地獄絵となっている。豪雨により、山では土砂崩れが起こり、それが川に流れ込み濁流となって周辺にあるものすべてを飲み込みなぎ倒して行く。人も生物も家も何もかもである。流れの中には、すでに絶命している者、もがき苦しむ者、逆さまになって足だけが見える者、枝葉の茂る大きな木に登ったまま流されている者まで、描かれたすべての人物の表情に恐怖と諦めを読み取ることができる。救いや希望など微塵もないのである。

私たちが知っている水害も確かにそのようなものである。助かった人々も、雨が降る前に備えを怠った人たちは、取り残され孤立し、水が去るか、あるいは助けが来るのを待たねばならない。

一方、アムステルダム国立美術館に所蔵されている有名な『一四二一年十一月十八日夜から十九日にかけて起こった聖エリザベスの日の洪水』（作品の制作は一五〇〇年頃）には、実際に起った堤防決壊の場面が描かれているが、洪水がどのようにやって来て、どのような被害をもたらすのか、二枚のパネルに屏風のように描かれている。いわゆる異時同図法で、画面右上部で堤防の決壊が発生し、市街地や農地に水が流れ込んでいる。しかし逃げる人々の顔に、応挙の絵のような恐れおののき逃げ惑うというような緊張感はない。船に家財道具を積み込み、高台へと避難する人々は、せいぜいやれやれといった風情である。もちろん、ゆっくりと流れているとはいえ、歴史に名を残すほどの洪水である。息絶え仰向けに流れている人物も描かれてはいる。しかしその顔は、居場所と顔色を除けば、静かに眠っているようにしか見えないのである。

日本の河川洪水では、逃げる際に荷物を船や車に積むような時間的余裕はない。災害時、特に最近の気象庁の予報では、「ここ数十年で最大規模の……、これまでに経験したことのない……」といった緊張感を最大限に喚起する文言で、「いますぐ、命を守る行動をとってください」と呼びかける。一刻の猶予もないのだ。

聖エリザベスの日の洪水において、人々は堤防決壊のあったウィールドレヒトからドルトレヒトへ逃れたのであるが、低地国オランダでは水から逃れるにも水の助けを借りなければならない。水は敵でありながら味方でもあるのだ。『アムステルダム国立美術館公式図録』には印象深い解説が記されている。

「ネーデルラントは水の国であり、ライン河、マース河、スヘルデ河という三つの大きな河川に囲まれた三角地帯に位置する。網目のように張り巡らされた川や水路を経由して、水の流れは海へと注ぎ込む。水は友でもあり、敵でもある。友というのは、水が国土を肥沃にし、水上交通の便を良くしてくれるからである。様々な河川の河口という恵まれた立地条件のおかげで、ネーデルラントは繁栄し、人々が密集して住む国へと発展した。中世の頃から既に、こうした発展過程が認められる。しかしながら、水はまた敵でもある。海岸地方やユトレヒト地方のように土地の低い地域では、海や川の水によって洪水が起こりやすかった。したがって中世の頃からすでに治水は死活問題であった。一三〇〇年頃には早くも堅固な治水の網目を作り上げていた治水局の監督の下、堤防やダムや排水溝がこの頃さかんに建設された」。

同じく国立美術館に所蔵されているヤコブ・カッツの水彩画は、四季、四大元素、四時間帯、つまり春夏秋冬・火気土水・朝昼夕夜を組み合わせたオランダの風景を連作画として描いている。その第三作が「秋の夕暮れ」で、扱う四大は水である。描かれているのは、湖とそれを取り囲む堤防の周りで、水面と地面が逆転しているオランダの日常風景である。

秋の夕暮れ時、激しい雨に襲われているが、空には虹も架かっていて、天気の移ろいやすさを表している。堤防の一部からは水が溢れ出し、宅地や放牧地に流れ込んでいる。牛たちは水を恐れて堤防へ登ろうとしているし、それを追い立てている人物もいる。係留された船は風と波に煽られて、堤防を越えて陸地へ落ちて来そうな気配である。堤防には水門が設けられていて、三名が越流や決壊を防ごうと集結しているが、一人は強風に煽られて帽子を飛ばされないように、そして堤防から落下しないようにと必死であり、また一人は、水門から陸地側に溢れている水の流れを見て呆然としている。そして残りの一人は、もはや諦めの境地で、これからやって来る災難を前に、手を合わせて祈っている。湖越しに見える城壁都市には風車や塔を持った大建築が何棟も並んでいて、手前の風景とは対照的に、洪水などは意に介さず君臨し続ける人間の営みの成果として描かれているように感じられる。

水は友でもあり敵でもあることを、同じ画面に描こうという作家の意図であろう。ところかわれば水害も変わるである。

ゼーラントの旅・危機一髪

ゼーラントへの旅の目的は、北海沿岸で砂浜に打ち上げられたクジラの見物だったというが、本当だろうか。それは間違いない。クジラの大きさは百クラフターと記されているからだ。メートル換算すれば百八十メートルになる。これを真に受けたデューラーがアントウェルペンからわざわざ出掛けて行くのはもっともなことで、本当なら私だって見に行きたい。十一月二四日の日記にはこう記されている。「高潮と嵐に乗ってゼーラントのジーリックゼーに一頭の鯨が漂着したが、それは長さ百クラフター以上ある。その長さの三分の一のものをすらこれまで見た人はゼーラントには一人もいない……」（一一一頁）。

噂は恐ろしい。現在はカメラやニュースがあるからそんなことにはならない、とは私は思わない。平成二八年熊本地震直後には、インターネット上で、熊本市動植物園のライオンが、壊れた檻から逃げ出したとの作り話が合成写真とともに流され、あっという間に噂は広がった。

デューラーの創作の源泉である好奇心の旺盛さや貪欲さがここでも発揮された訳だが、それが昂じて、クジラ見物の船旅では漂流し遭難、命の危険にも曝された。遭難について、デューラーは詳細に記述している。十二月九日、ミデルブルフを出てアルネメイデンの港に着いたときのことである。「……私に大椿事が起こった。我々が接岸し纜（ともづな）を投げたとき、一隻の大船がこちらの横腹に極めて激しく衝き当たった」。それはちょうど下船中のことで、デューラーは自分の前にいた人たちを急いで下船させた。そこにまた別の船が衝き当たり、今度は纜が切れてしまったのである。デューラーと、同行していたニュルンベルクのケッツラーという人物、老婦人二名、そして幼児を連れた船頭の六名が残っていたが、その時、「一陣の強風が吹いて我々の船を激しい力でうしろに押し戻した」のである。既に荷物をすべて降ろした船は軽量化していて一気に沖へ流されたのだ。「私たちはみな援けを求めて叫んだが［陸上の］誰も敢えて動こうとはしなかった。そのとき船頭は［髪を］掻きむしって絶叫した」とデューラーが記している通り、絶望的な状況である。しかしデューラーは冷静だった。「そのとき私は船頭に向かって、しっかりした心と神への希望を持つよう、そして何ができるかを考えるようにと言った。すると彼は小さな帆を張ることさえできれば、船を動かせるかどうかもう一度試してみましょうと答えた。こうして私たちは難渋しつつも助け合って、遂に半分の帆を張り再び航行した。すると私たちを見捨てて、我々が自ら救おうとしているのを眺めていた陸上の人たちも私たちを助けに来て、［我々は］上陸したのであった。」（以上一一七～一一八頁）まさに危機一髪だったのである。

アムステルダム滞在中、私はこれほどの危機に陥ったことはない。怖い目にあったこともない。しかし思いがけないことに出くわしたことはある。アムステルダム到着後、一週間ほどホテル住まいをして、それからアパートに移ることにしていた。

ここでも岩田薫さんに助けてもらった。荷物の移動もあるが、何より現地に通じている薫さんに付き添ってもらい、落ち着いて引っ越しに臨みたかったのだ。

到着して管理人を訪ねると、私の部屋は、まだ空いていないと言う。泊まっていた客がひどく散らかしていたので、片付いていないとのこと。明日には入れるから、今日はこの二階のスイートへどうぞ、と言う。あてがわれた部屋は広かったので、まあいいか、と思っていると、キッチンとバス・トイレを共有する住民が二組いたのである。一日だけのことなので納得はしたけれども、薫さんがいてくれなかったら、さぞかし心細かったことだろう。

管理人への愚痴をこぼしながら、気分を滅入らせている私に、薫さんは「こんなことはオランダではよくあるの」と教えてくれた。「それにボスに言わなければ、管理人の彼に言ってもはじまらない」とも。

それから薫さんは、アパートに関する自分の体験を話してくれた。出入口のドアの鍵が壊れたことや、洗濯機の水道の蛇口が壊れて水漏れになり、しかもその日は出張だったので大変な事態になったことも。彼女は私に、日本にいる時やホテルに滞在している時のような気分でいてはいけないことを、自分の体験で教えてくれたのである。

その後、デンマークの知人宅を訪問して何日間か留守にして帰宅した時、台所に使いかけの調味料がいくつか増えていたことがあった。誰かが部屋を使ったのではないかと、慌てて、今は親しくなった管理人のピーターに言いに行くと、「必要じゃないかと思って」と言って笑っている。それは私のような短期滞在者が部屋を引き払う時に、もう必要ないからと、置き土産にした品々だった。「部屋の掃除のついでに置いてきたんだけど……」と言うピーターの顔を見て、そうだ、ここはオランダだ、これは極めてオランダ的なことだ、空き巣に入られた訳ではないのだと思う他なかった。少し余裕を持てるようになっていたのだ。

さて、デューラーのゼーラントへの旅は十二月三日から十四日にかけてであるが、途中経由した町の美しさを必ず記している。十二月三日に到着したベルゲンでは、夏のリゾート地で年に二回、大きな市が立つこととベルゲン侯爵の宮殿の素晴らしさを、十二月九日は先に紹介したミデルブルフ、そしてファール（フェーレ）は各地から船が着き、大そう美しい小さな町であると記している。これらの町に加え、ネーデルラント旅行における彼の本拠地であるアントウェルペン、そして翌年になって訪れるブリュッゲ（ブリュージュ）やゲントといったフランドルの諸都市は、ホイジンガの名著『中世の秋』の舞台であり、しかもリアルタイムの記録なのである。

十二月十日、デューラーは、打ち上げられたクジラを見るべく現場へ行ったのだが、「高潮が再び遠くへ運び去ったあとであった。」（一一九頁）デューラーの中でクジラは永遠に百八十メートルの大魚として記憶されたことであろう。

ゼーラントの旅について記した十二月九日には興味深い記述がもう一つある。泊まった宿の亭主が「芽の出たチューリップの球根を私に一つ進呈した」（一一九頁）というのである。

かのチューリップ・バブルが起こるのはざっと百年後であるが、そもそもチューリップのヨーロッパ到着は十六世紀半ばとされている。本当にチューリップだったのだろうか、と思わざるを得ないが、もし本当だとしたら、やはりデューラーの審美眼に加え、進取の気性も讃えねばなるまい。

いまや風車とともにオランダのアイコンとなっている国花チューリップ。栽培や売上高などについては説明の必要もないが、その原産地はパミール高原の低木に覆われた丘陵地である。

歯科通院とグローバル化

私の旅の準備のことである。保険加入は義務付けられていたが、いろいろな商品を探しても何故か歯科だけは免責だったので、出発前に徹底的に治療することにした。幼馴染みで歯科医師の角岡秀昭さんから自宅近くの歯科医院を紹介してもらい、理由やスケジュールを伝えて、せっせと通院し、完璧な備えをしたはずだった。にも拘わらずである。ベルギーまで足を延ばし、ナミュールという風光明媚な町のビストロでハムチーズサンドを食べている時だった。突然、口の中に異物の存在を感じた。サンドウィッチに何か挟まっていたのかと思ったが、そうではなくて、奥歯に被せられた金属のキャップがポロリと外れたのだった。

まだ旅半ばである。アムステルダム帰還後、岩田薫さんにことの顛末を報告すると、自分も歯科治療では随分な金額を支払ったことがあって、還付の手続きも面倒だったことなど教えてくれた。掛かり付けの歯科医院を紹介してもらい治療することにした。この時ばかりはお金の話が重要だと思い、英文を作って通院した。歯科は保険の適用外なので、最低限の治療だけ、具体的には、消毒してキャップを元の位置に接着するだけにしたいこと、そして金額を確認してから治療したいと伝えると、先生は「よくわかりました」と言って費用を紙に書いて渡してくれた。日本円で四千円程度だった。安心した私が表情を崩したのが可笑しかったのか、先生は微笑みながら「それでは、はじめようか」と診療台へ促された。

「開けて（open）」「閉じて（close）」「噛んで（bite）」と言った指示の他、聴こえるのは医療機器の音だけである。その音には日本もオランダもない訳で、聴き慣れたドリルやコンプレッサーの音に、妙に落ち着きを取り戻したことを思い出す。些細な事ながら機械や道具の世界は人間よりも何倍もグローバル化していると実感したことだった。そんなことなど考えているうちに治療は無事終了した。

グローバル化といえば、先に述べた税関は、グローバル化にとっての大きな壁であろう。

何十箇所もの税関を通過したデューラーであるが、EU発足後、ヨーロッパではパスポートはほとんどいらないし、足止めも食わなくなった。日本から海外渡航する場合だと、つい最近、出国税なるものが課せられるようになったと聞くが、パスポートは出国と入国の際に提示を求められるだけで、金銭は要求されない。また昨今、二国間あるいは多国間、さらに地域間などで次から次へと取り交わされ、あるいは次から次へと破棄される経済関連協定など、形を変えた新たな税関が出現しつつあるようだ。元来、何の垣根もないグローバル化などは有るはずもないけれど。

日本でも江戸時代までは、自らの故郷を出ることは容易ではなかった。歴史の教科書で覚えた「入り鉄砲に出女」という関所の機能を謳った文言や、江戸に向かう大河川に橋を架けることを禁じた幕府の政策などが思い浮かぶところだ。それを比較的容易にしたのは、地域が主体となって行ったお伊勢参りや富士登山などの講ではなかったか。

実はデューラーの故郷であるニュルンベルク市は「歴代の皇帝がその際に使用した帝権の標章の保管の任に当たる」という重要な役割を担っていて、カール五世の戴冠式に伴い「一大使節団を編成して宝器をアーヘンへ輸送」（一九二頁）したのである。皇帝とは無論「神聖ローマ皇帝」のことである。従ってニュルンベルク使節団一行もこれ以上はない大義名分を持って、デューラーと同時期にネーデルラントを訪れていたのである。

ブリュッセルで市参事会員諸氏と合流したデューラーは大歓待を受ける。しかも彼らはデューラーの年金問題について現地でいろいろと便宜を図ってくれたのである。デューラーが地元出身の有名人であったからか、それとも同じ故郷から遠路はるばるやって来た者同士だからか、もちろんその両方であろうが、異郷での仲間との再会の場面を想像すると、会ったこともない彼らの嬉しい表情が目に浮かぶようである。日記に書いてはいないが、デューラーは本当に嬉しかったのだ。持つべきは友であると思ったに違いない。同時に私は岩田薫さんを思い出すのである。

スケート・マラソンとアムステルダム・マラソン

『ピートのスケートレース』（福音館書店）という絵本がある。舞台は第二次大戦中のオランダであるが、作者ルイーズ・ボーデンはアメリカ人。原題は『The Greatest skating race』で『最も偉大なスケートレース』というものである。

タイトルの元になっているのは、女スパイ、マタハリの生誕地として有名なレイワルデンという町を起点に十一の町をスケートでまわる「エルフステーデントホト」と呼ばれる全長二百キロに及ぶオランダの国家的行事といえる大レースである。

私がアムステルダムに滞在した一九九八年は十二月になると冷え込みが厳しくなり、一週間以上気温はマイナスのままで運河は凍りはじめた。テレビニュースでは天気図や長期予報などを眺めながら、昨年に続いて二年連続の開催になるのかどうかを占っていたが、十日間ほどで気温はプラスへ転じ、開催とはならなかった。

このレースが公式にはじまったのは一九〇九年で、以後、不定期に開催されるが、開催の条件は、運河がすべて凍りつき二百キロのコースが出来上がることなのである。オランダらしいことこの上なしで、これまでの開催は、一九〇九年、一九一二年、一九一七年、一九二九年、一九三三年、一九四〇年、一九四一年、一九四二年、一九四七年、一九五四年、一九五六年、一九六三年、一九八五年、一九八六年、一九九七年の十五回。百十年間で十五回であるから頻度はオリンピックよりも少ない。開催記録を眺めると、戦時中と雖も一九四〇年から一九四二年までは三年連続で開催されているが、一九九七年以後は恐らく二〇一九年まで二十二年間開催されておらず、これまでの不開催の最長記録だった一九六三年から八五年までの二十二年間に並んでいて、こんなところにも地球温暖化の影響が表れているように思われる。

本気でタイムに挑む者はほんの僅かで、ほとんどの出場者はお祭り気分である。一九九七年の参加者は凡そ一万七千人、本格的な競技者は三百人程度であったとのこと。

一九九八年、運河は凍らず、スケート・マラソンを見ることはできなかったが、滞在中の十一月一日、アムステルダム・マラソンを沿道から観戦、応援した。住んでいたアパート近くがコースになっていたからである。最初はテレビで観戦していたが、ヘリコプターの音が生で聞こえてきた。見上げると二機が中継に出ていた。先頭集団が近くを進んでいることがわかる。もう居ても立っても居られなくなり、通りへ出て行くと、コースは何度も折れ曲がる設定になっているらしく、二箇所にランナーの流れが見えた。曲がり角には楽団が出て賑やかな演奏を繰り広げていた。もちろんビール片手に応援の人もいる。

先頭集団が風の如く走り去った後、しばらくすると市民ランナーたちの登場である。参加者はどれくらいいるのか、おそらく数万人規模であろう。切れ間なく延々とやって来る。しかも人種の坩堝とはこのことで、肌の色も衣装も様々である。日本人らしきランナーもいて、こちらが手を振るとスピードを緩めて応えてくれる。日本人であると断定した場合は「ニッポン、頑張れ」と声援を送る。ヤクルトスワローズのユニフォームを着た青年ランナーは、通り過ぎた後もこちらに向き直って後ろ向きに走りながら応えてくれた。こちらの応援にも力が入るというものだ。

沿道を見ると、応援の人々もランナー同様であった。サッカーやラグビーなどを見ても、スポーツの世界では、いち早くグローバル化が浸透しつつあるようだ。

目的成就

さて、デューラーの旅の目的の行方は。カール五世が戴冠式を行なうアーヘンでもなく、マクシミリアン一世の娘であるマルガレータ女公の統治するメーヘレンでもなく、アントウェルペンを逗留地に選んだのは何故かと、もう一度問うならば、それは目的を果たすためには最も有効な場所であると考えたからであった。アントウェルペンは「当時戸数八千六百軒、人口四万三千人を算えたネーデルラント最大の都市であり、港町として殷賑を極め、したがってフッガーをはじめヴェルサー、ヘーヒシュテッター、ヒルシュフォーゲル、イム・ホップ、トゥヒャー等のアウグスブルクやニュルンベルク出身の豪商たちが競ってそこに支店を構え、デューラーの旧知も多数居住していた……」（一九二頁）。

デューラーは一五二〇年八月二日にアントウェルペン到着。日記によれば、その日はフッガー家の番頭が食事に招待してくれた。八月四日には宿の主人が市長の邸宅に案内してくれ、八月五日には画家組合の宴会に招待されている。その席にはアントウェルペン市顧問が従者を伴って挨拶に来たり、市の棟梁からワインを贈呈されたり……と大変な歓迎ぶりで、こうした宴会は滞在中、絶えず繰り返された。

そして彼は二人の有力者と、何十回あるいは百回を超えて食事を共にするような仲になる。ポルトガルの商務官ホワン・ブランダンとイタリア、ジェノヴァの絹商人トマソ（トマジン）・ボムベりである。解説によれば、二人は「すでにアントウェルペンに長く居住し、あるいは同市の経済を牛耳り、あるいは女公宮廷の財政を握っていた人物であった。」（一九三頁）トマソはマルガレータ女公の出納役でもあった。「そして外科医の年収が八十グルテン、内科医が百、また市参事会付弁護士が百六十乃至二百六十であった時代」（一九四頁）に、彼らは商務官として三千グルテンの収入を得ていたのである。前川氏は、この二人とデューラーが旧知であったとは思えず、デューラーの竹馬の友でパトロンでもあったヴィリバルト・ピルクハイマーと彼を中心とする国際的ユマニスト集団が手引きをしたのではないかと推測している。それはともかく目的達成のための効果は絶大であったと推察できる。

デューラーは、八月二六日から九月三日までメーヘレンおよびブリュッセルへの旅に出る。ブリュッセル到着直後には、先に述べた通りニュルンベルク市参事会員諸氏と会食。また［帝室顧問官］ボニジウス氏とも会食し、彼には《銅板受難伝》を贈っている。［ブランデンブルク］辺境伯ハンゼン閣下には、「わがバンベルクの司教猊下が私のために書いてくださった推薦状を奉呈し、私のことを覚えていてくださるよう《銅板受難伝》を贈呈した」（七七頁）と記されていて、目的達成のため精力的に活動していることが伝わる。

一旦、アントウェルペンに戻った後、十月四日からはアーヘンへの旅。カール五世の戴冠式は二三日に執り行われた。二六日にはケルンへ向けて出発。この間もデューラーはニュルンベルク市参事会員諸氏と行動を共にしていて、十月二八日には「ブリュッセルでは我がニュルンベルク市参事会員諸氏と宿および飲食をともにし、彼らは私から何一つ代金をとろうとはしなかった。アーヘンでも私は三週間彼らと食事をともにし、彼らは私をケルンへと案内し、同じくその代金をとろうとはしなかった」（二〇一頁）と記している。

そしてケルン滞在中の十一月一二日、ついに目的は成就される。「私のための皇帝の確認証が、一五二〇年マルティンの祭日の後の月曜日に我がニュルンベルク市参事会員たちの許へ届けられた、大きな心労と努力の末に」（二〇四頁）。

その前日、デューラー夫人アグネスは、人込みの中でスリに遭って現金二グルテン（約十万円）と高価な財布そして装身具などその中身を失っていた。それよりもデューラーは、やはりこの間の自らの活動を回想し、同郷の仲間の親切など、すべてを含めてこのように記したのだ。

こうして出発から約四カ月で目的は果たされたのであるが、デューラーはケルンを立った後、故郷ニュルンベルクを目指すのではなくネーデルラントへと向い、再びアントウェルペンに滞在するのである。旅はこのあと、翌一五二一年の七月まで続く。前川氏は次のように指摘している。「当初二カ月以内の滞在を予定しながら遂には一カ年も腰を据えるに至ったのは、居心地が良かったからというに尽きる。」（一九三頁）デューラーは二カ月もあれば目的を果たすことができると考えていたというのであるが、それは出立後十一日目、エーレンフェルスの税関で二ヵ月以内に戻って来れば二グルテンは返却する旨、合意していることから明らかである。また日記には大勢の有力者たちが登場するが、「商務官ホアンとトマソの二者ほど全滞在期間を通じてその名が頻繁に言及され、また親密な交際を結んだ人はいない。要するに馬が合ったとしか言いようがないのである」(一九三頁)。
つまりデューラーは帰りたくなかったのだ。そして彼にはそれができるだけの力があった訳だ。

中世の秋の世界

一九九八年の秋、観光パンフレットやイベント情報などを得ようと、私がブリュッセル市内のツーリスト・ビューローに立ち寄ったときのことである。スペイン経由でベルギーにやって来たという若い日本人女性ツーリスト二人組と出会った。彼女たちが憂鬱な表情だったので話しかけてみると、「こちらは、街はきれいで素敵だし、あまりにお洒落だし、物価は高いし、田舎から出て来て気後れした気分で、まだ楽しい気分になれません」と言っていたのを思い出す。彼女たちの肌感覚として、それほどスペインとベルギーは違っていたということだ。

この日記のタイトルである「ネーデルラント」とは、現在の世界地図上でいえば、オランダとベルギーのほぼ全土に当たること、デューラーの日記に記されているのは、ホイジンガの名著『中世の秋』に描かれたまさに同時代の見聞であることは既に述べた。では「中世の秋」とは何であるのか。それは文化の「爛熟」こそが、中世の極まった、そして窮まった姿であるということなのである。ホイジンガはそれを「中世の秋」と呼んだのだ。デューラーの日記には、爛熟した文化の見聞が散見される。

一五二〇年八月二日にデューラーはアントウェルペン到着。八月六日には、やがて入城して来るカール五世を出迎えるための凱旋門の建設現場を訪れている。凱旋門は巨大な構造物で、アーチ一つは十二メートルの幅があり、それが四百基も連なるというのだ。その費用は四千グルテンというから約二億円である。圧巻とはこのことで、当時の世界最高権力者の権勢が偲ばれる。この凱旋門は、彼がマクシミリアン一世から請け負った作品の一つではなかったのか、とすら思ってしまう。「アントウェルペンの聖母大教会堂は巨大で、多くのミサを同時に互いに邪魔することなく歌うことができる。」（五九頁）確かに私にもそのような記憶がある。建設当時、大聖堂にはアントウェルペンの全市民を収容することができたと聞いた気がする。日本ではアニメ『フランダースの犬』で有名なこの大聖堂であるが、主人公ネロが見たルーベンスの『十字架降下』が描かれるのは、これから九十年以上先のことである。

デューラーは、その他多くの修道院も訪問して、石造透彫の窓飾りや華麗な礼拝用のベンチなどに目を留め、「アントウェルペンではこのような調度品に費用を惜しまないが、それはここに資金が十分あるからである」と記している。

八月十九日、聖母被昇天の後の日曜日には、聖母教会の大行列を見物。絢爛豪華で見飽きない様々な職業の着飾った集団、そしてキリストの人生の主要場面を表現した紙芝居の如き山車の列など……、最後に登場したのは、聖マルガレータとお伴に曳かれた一匹の大きな龍と、立派な鎧を着た騎馬武者姿の聖ゲオルギウスであったという。デューラーは「それほど出し物は多く、とても一冊の手帳には記し尽くせないので、これくらいで止めておく」と記録を締め括っていて、満足を通り越してやや食傷気味であるように感じられる。

八月二六日からはメーヘルンおよびブリュッセルへの旅。二七日には、「ブリュッセルの市庁舎の黄金の間で、大画家ロヒール・ファン・デル・ウェイデンが描いた四枚の物語絵（歴史画）を見た」（七七頁）とあるが、世界一美しい広場として有名なグラン・プラスに建つ現在の市庁舎も、この建物である。九十六メートルの高さの塔が増築されたのは一四四九年だというからデューラーは見ているし、翌一五二一年二月にはアントウェルペンの大聖堂にも登頂しているので、おそらく登頂したものと思われる。しかしロヒール・ファン・デル・ウェイデンの絵画は一六九五年に焼失しており、最早、見ることは叶わない。また「私はブリュッセルの王宮の裏手の戸外で噴水や迷宮や動植物園や、これまで私がこんなにも愉しくまた気に入ったものを見たことがない、まさに楽園を見物した」（七七頁）と記している。さらには、開催されていたメキシコ文物展なる展覧会を訪問する。「王のために新しい国（メキシコ）から送られてきた品物を見た。即ち優に一クラフター（約六フィート）は直径のある純金の太陽、並びに同大の純銀の月、同じく二部屋に満ちる甲冑、飛び道具（中略）これらの品物はすべて高価で十万グルテンと値踏みされている。私は生涯の中でこれらの品々ほど私の心を悦ばせたものを見たことがない。何故なら私はそこに驚くべき巧みな品々を認め、異域の人々の精妙な天稟に驚嘆したからである。そこで［眼］前にしたものを私は語り尽くすことができない」（七八〜七九頁）。

九月三日にアントウェルペンへ帰還。九月二三日はカール五世の入城日で、その行列を見物している。さらに記念発行された『アントウェルペン入城記』を一シュトゥーバー（約二千円）で購入。アントウェルペン到着直後は建設中だった凱旋門も、どれもが「演劇と大きな歓喜と美しい乙女たちの活人画とで豪華に飾られており、このようなものを私は滅多に見たことがない」（九一頁）と結んでいる。

十月七日にはアーヘンへ。そして十月二三日はカール五世の戴冠式であった。「私はこの世に生きる何人もこれよりさらに壮麗なものを見たことがない盛儀の一切を目にした」（九九頁）と称賛している。これまで何度デューラーは「語り尽くすことができない」「見たことがない」と記したことだろう。しかし今回は、自分ばかりか何人も……とまで称賛の限りを尽くしている。

それにしても、ここまで見てきた大行進、凱旋入城、そして戴冠式と、これらに匹敵するような式典や儀礼が果たして日本に存在しただろうか。一つだけ、そうかもしれないと私が思うのは、一八六三年に総勢三千名の大行例で行った将軍徳川家茂の上洛である。その様子はイタリア、ジェノヴァ市立キヨソーネ東洋美術館所蔵の「将軍家茂公御上洛図」に詳しい。（福田和彦・著『東海道五十三次　将軍家茂公御上洛図』二〇〇一年・河出書房新社参照）上洛に付き従った絵師たちの奮闘振りも想像を超えるものだが、ただただ威風堂々、絢爛豪華な歴史絵巻となっていて圧倒される。この上洛図から、デューラーが見物した同様のグレートイベントを、私は勝手に想像してしまうのである。

ここまで紹介しただけでも、ネーデルラント文化の爛熟という雰囲気の一部は伝わるのではなかろうか。

年が明けた一五二一年は、四月にまずブリュッゲ（ブリュージュ）を訪問する。ブリュッゲは「素晴らしく美しい町である」と記し、四月八日には、巨大な皇帝の館へ行き、ロヒール・ファン・デル・ウェイデンの描いた壁画のある礼拝堂にも案内される。聖ヤコブ教会では、ロヒール・ファン・デル・ウェイデンとフーゴー・ファン・デル・フースの名画を見学。聖母教会堂ではミケランジェロが作った大理石の聖母子像を見る。さらに多くの教会堂に案内されるのであるが、デューラー曰く。「それはまさに氾濫とも申すべきであった。そして私は、ヤン［ファン・アイク］や他の画家たちのものをすべて見て、お終（しま）いに画家組合の礼拝堂へ入ったが、良いものばかりであった」（一四四頁）と結んでいる。またしても感動を通り越して参り気味な様子である。

四月十日、次のゲントでは、現在の聖バーフ教会である聖ヨハネス教会で、フーベルトとヤンのファン・アイク兄弟が描いた祭壇画『聖なる仔羊の礼拝』を鑑賞している。五百年の時を隔てて私もこの美術史上の大傑作と対面している。

野暮を承知で書くが、この作品の迫力は実際に見なければ伝わらない。観音開きの祭壇画は合計三面に分割され、扉を含め表裏すべての面に絵画が描かれているので倍の六面となり、さらにその六面を二十四画面に分割して絵画が描かれているので、すべてを同時に見ることは叶わない。折り畳み方で配置も変化する。また壮大なスケールであるのに、どの画面にも繊細で緻密な筆が施されていることに圧倒される。

デューラーは「あまりにも素晴らしい、実によく考えられた絵である。殊にエヴァ、マリアそして父なる神が大そう良い」と感想を記している。解説には「ともかくこの条は本祭壇画に関するもっとも古い明証の一つで、エヴァ、聖母、神と具体的に形を挙げて褒めているのも、この日記では異例のことである」とある。

またデューラーはメーヘルンのマルガレータ女公の宮廷で、弟ヤンの『アルノルフィーニ夫妻の肖像』も鑑賞している。私は一九九〇年にロンドン・ナショナルギャラリーで鑑賞した。本文とは関係ないが、特別な思い出があるので紹介したい。

鑑賞を終えた私が作品から離れた後、展示室を去り難い思いに駆られ、振り返ってもう一度『アルノルフィーニ夫妻の肖像』を眺めたときだった。ハイヒールを履いた女性がよろけて作品に手を突こうとしたのである。私は息を飲んだか、声を上げたかしたはずだ。椅子に座っていた監視員も腰を浮かせて声を上げた。幸いなことにハイヒールの彼女は作品の右側の壁に手を突いた。安心して胸を撫でおろした私は監視員と目を見合わせて何度も肯き合った。

話を元に戻すと、ゲントでも「美しくまた驚くべき町である」（一四六頁）とその都市美を称賛し、動物園でライオンを見たことなども記している。

五月五日にはヨアヒム・パティニールの結婚式に参列しているが、その際、デューラーは、彼のことを「良き風景画家であるヨアヒム親方……」（一五一頁）と記しており、これによってパティニールは、美術史上において、フランドルにおける最初の風景画家と呼ばれることになる。
ここまで名前を挙げた他にも、クエンティン・マサイスや私のお気に入りのルーカス・クラーナハやハンス・バルドゥング・グリーンといった巨匠たちも、デューラーの同時代人にして彼の仲間であった。
五月十七日には、本日記の白眉とされる、ルターの逮捕の知らせを受けてエラスムスに行動を促す手紙となっている文章が記されている。強烈で印象的であるのは無論のことだが、今回は紹介だけにとどめ、ここではデューラーの交友の広さと、彼が第一級の知識人でもあったことを記しておきたい。

アントウェルペンへの帰路、いくつもの町や村を通り過ぎたが、そこでもデューラーはどれも皆、素晴らしいと感想を記している。私もまったく同様の感想を持っている。中世の秋の都市群は、いまもそのような都市美を守っているのだ。デューラーと私のネーデルラント旅日記はこれで終わりである。

百代の過客

旅日記の締めくくりに、私が感じたこと、思ったことを記しておきたい。

デューラーが自らの作品を売るときは、自らその価値を値踏み、実際に受け取った額を記している箇所が散見されるが、そのことについて前川氏は、「それからおよそ五百年後の現在、もし保存の良好な彼の版画や素描が偶に市場に現われる場合、取引価格は少なくともその一万倍にはなっていることを思うと感なきを得ない」（二〇三頁）と慨嘆している。この大作家は自分の作品の価値がわかっていないと、タイムマシンに乗ってやって来た専門家は、まるで自分のことのように嘆いているのだ。私もため息が出そうになる。何故といって、デューラーは既に大作家としての地位を確立していたのである。

オランダを代表する画家といえばレンブラント、時代を下れば現在美術市場で最高額を誇るといってよいフィンセント・ファン・ゴッホであるが、ゴッホの作品が生前一枚も売れなかったのは有名な話である。レンブラント作品は生前いったいどのくらいの額で取引されていたのだろうか。そして、いわゆる美術市場の形成はいつ頃なのだろうか。デューラーの時代ではまだ作家自らが営業し、宮廷や貴族に力量を認められた者がパトロネージされていたようで、彼もその典型例の一人といってよい。

職業としての美術商の登場は十八世紀になってからのようである。サザビースやクリスティーズといった世界的に有名なオークションハウスの創業も十八世紀中頃である。

デューラーの日記には、面会した人物への自作献呈が細かに記されているが、こうしたことがいわゆる営業活動であったのだろう。

デューラーと共に旅をして、「月日は百代の過客にして行きかふ人もまた旅人なり」（『奥の細道』）と思わずにいられない。ファン・アイク兄弟の作品『聖なる仔羊の礼拝』や弟ヤンの傑作『アルノルフィーニ夫妻の肖像』あるいはヨアヒム・パティニールの諸作品など、私は五百年を隔ててデューラーと同じ作品と対面することができるのだから。

デューラーの旅の目的は年金問題の解決であったが、それ以外の見聞や活動も含めて自らの本分である芸術と深く結びついていた。では、それから五百年後の私の旅は、私の何と結びついているのだろう。

デューラーがどんな気持ちで、どのような視点でそれらの作品や美しい都市群や建築を眺めたのか、それらを敢えて作品群と呼んでみると、私にわかるはずもないのだが、これら作品群に普遍的な何かを認めていたことは疑いない。これら作品群は時代を超えた存在として現在も、そしてこれから先も存在し、評価されてゆく。それが何であるのか、この作品たちに魅かれてしまうのは何故なのかと考えながら作品を見るのは、芸術鑑賞の醍醐味である。真善美の本質とは何かと考えることと、芸術を楽しむということは、ほとんど同義であるように私には思える。それは不変のことである。

一方で、風景や社会には大きく変化したところがある。ヨーロッパの諸都市は作り上げた都市を大事に扱いながら、新しい建築は都心から離れた場所に建設してゆく。日本はいわゆるスクラップ・アンド・ビルドで、同じ場所で更新していく。古い技術や材料も用いるが、計画は未来を向いていて、風景としての過去（歴史）に重きが置かれているようには見えない。もちろんどの時代であろうと、世の中には不変、普遍のものと移ろいゆくものとが混在している。ここでもまた私には「ゆく河のながれは絶えずして、しかも、もとの水にあらず。よどみに浮ぶうたかたは、かつ消えかつ結びて、久しくとどまる例なし。世の中にある人と栖と、またかくの如し」という『方丈記』の冒頭が思い浮かぶ。

松尾芭蕉にしろ、鴨長明にしろ、物事の本質を突いているのは明らかだ。彼らは、旅に出て、あるいは日常に対し、自らの渾身の眼差しを向けることによって、このような観察に辿り着いたのだ。

ネット時代に生きる私たちは、こうした作品群と直に接する機会を手放しているのではないか。旅に出ることの意味も彼らとはまったく違っているのではないか。

それぞれの風土で、人はどのように暮らすのか。私が見てきた風景、建築、芸術、そして人々の生活、さらには土地利用や治水など、それらは帰国後、私自身の周囲や生活を新鮮な目で眺めさせることになった。

水の都の街角で——晩秋のアムステルダム

はじめに

話はいきなり、帰国後からはじまる。オランダでの三ヶ月間の研修から帰国してまだ一カ月にもならない頃、スライド映写機を用いた報告会を行うと、ある参加者から感想を言われた。

「あなたの報告にはまったく人が出てこないですね、それで私は興味が持てませんでした」

私は「低地オランダの都市美」というタイトルでスライドを構成し、都市の成り立ちや建築、それに景観美といった事柄について紹介したのだった。報告の主役は人ではなかったのである。それでも、こんなことを言われるのは、報告がつまらなかったからだと、がっかりした。

私の研修課題は、治水と都市計画であり、国土の四分の一が海面下に位置するという困難な風土にあって、風車やチューリップという印象に代表されるような美しい風景が、どうして可能なのか、また美しい運河の街並みはどのように形成され、そして維持されているのかを探ることであった。

滞在中、ネガで約三千六百カット、リバーサルで四百カットの写真を撮影した。今ならデジカメで、あるいはスマホで、少なくともその十倍の写真を撮ったに違いない。それはともかく確かに人物を撮影した写真は少ない。さらにスライドとなれば、どうしても帰国後の報告を目的としているため、人物を写した写真はいよいよ少なくなっていた。

しかし旅の醍醐味は、人との出会いにあるということも、また確かなのである。それは、どんなに美しい風景を見ようと、どんなに旨い料理を食べようと、そこで出会った人々との間に嫌なことがあれば、街の印象は暗いものになってしまうことからも、反対に、少々景色が悪くても、料理が口に合わなくても、出会った人々が素敵であれば、その街を好きになることは請け合いであることからも、明らかである。

アムステルダム滞在中、私は日記をつけていて、都市計画情報センターの係員や下水道工事の現場作業員とのやりとりから、足を延ばして他のヨーロッパ諸国を訪問した際の会話にいたるまでを記している。それらを読めば、昨日のことのように、いや、たった今の出来事のように思い出すことができる。しかし彼らと会話するとき、私は会話に集中していて、カメラを取り出す余裕などなかったのである。写真はないが、人々とのほんの一時の、けれども忘れることのできない出会いは無数にあるのだ。そうした思い出と共にアムステルダムや訪問した場所の印象を記したい。

アムステルダム国立美術館

一九九八年の九月末、オランダ入りすると、絵画の好きな私は、国内の公立美術館のほとんどに入館できるMJKと呼ばれる一年間有効のカードをすぐに購入して、せっせと美術館巡りをした。カード購入の際、私は失敗している。購入日を記す欄に、早合点して自分の生年月日を記入してしまったのである。窓口の可愛い女の子は、「これじゃあ、もう終わってる」と言いながら、ずっと笑っていた。

カードの料金は五千円ほど。大変な優れもので費用対効果は抜群である。その上、美術館の入場口に行列ができていても、MJKを持っていれば脇から通してくれるのである。

まず、レンブラントの『夜警』で有名なアムステルダムの国立美術館（通称ライクスミュージアム）に足を運んだ。

オランダの全盛時代である十七世紀中葉、一六四二年に制作された『夜警』は、いうまでもなくレンブラントの最高作である。それればかりかオランダ絵画の至宝と言ってよい。絵画のパトロンが貴族から新興の市民へと拡大していったオランダの十七世紀、とはいっても、それは東インド会社などで財をなした大商人が中心であったが、彼らは貴族のように肖像画を描いてもらいたがったのである。しかし貴族のように一人で描いてもらうほどの余裕はなかった。そこで考え出されたのが集団肖像画というものである。『夜警』も火縄銃手組合によって注文された、そうした作品の一つ

＊価格は本体価格(税別)で表示しています

中村　哲
ペシャワールにて［増補版］　癩そしてアフガン難民
978-4-88344-050-4
四六判上製／261頁／92・3
数百万人のアフガン難民が流入するパキスタン・ペシャワールで、ハンセン病患者と難民の診療に従事する日本人医師が、高度消費社会に生きる人々に向けて放った痛烈なメッセージ
【8刷】1800円

中村　哲
ダラエ・ヌールへの道　アフガン難民とともに
978-4-88344-051-1
四六判上製／323頁／93・11
一人の日本人医師が、現地との軋轢、日本人ボランティアの挫折、自らの内面の検証等、血の噴き出す苦闘を通して、ニッポンとは何か、「国際化」とは何かを根底的に問い直す
【6刷】2000円

中村　哲
医は国境を越えて
978-4-88344-049-8
＊アジア・太平洋賞特別賞受賞
四六判上製／355頁／99・12
貧困・戦争・民族の対立・近代化——世界のあらゆる矛盾が噴き出す文明の十字路で、ハンセン病治療と、山岳地帯の無医村診療を、十五年に亘り続ける一日本人医師の苦闘の記録
【9刷】2000円

中村　哲
医者　井戸を掘る　アフガン旱魃との闘い
978-4-88344-080-1
＊日本ジャーナリスト会議賞受賞
四六判上製／285頁／01・10
「とにかく生きておれ！　病気は後で治す」。最悪の大旱魃が襲ったアフガニスタンで、現地住民、そして日本の青年たちと共に千の井戸をもって挑んだ医師の緊急レポート
【13刷】1800円

中村　哲
辺境で診る　辺境から見る
978-4-88344-095-5
四六判上製／251頁／03・5
「ペシャワール、この地名が世界認識を根底から変えるほどの意味を帯びて私たちに迫ってきたのは、中村哲の本によってである」(芹沢俊介氏)。一日本人医師の思考と実践の軌跡
【6刷】1800円

中村 哲

医者、用水路を拓(ひら)く

アフガンの大地から
世界の虚構に挑む

＊農村農業工学会著作賞受賞

978-4-88344-155-6

四六判上製／377頁／07・11

「百の診療所より一本の用水路を！」。戦乱と大旱魃のアフガニスタンで、千六百本の井戸を掘り、全長約二十五キロの用水路を拓く。真に世界の実相を読み解くために記された渾身の報告

【8刷】1800円

中村哲＋ペシャワール会 編

空爆と「復興」

アフガン最前線報告 ＊在庫僅少

4-88344-107-5

四六判並製／478頁／04・5

破壊と欲望が、復興と利権が野合するアフガニスタンの地で、日本人医師と青年達が、米軍による空爆下の食糧配給支援から用水路建設まで、修羅の舞台裏で記した四年間の実録

【2刷】1800円

甲斐大策

生命(いのち)の風物語

シルクロードをめぐる12の短編

4-88344-038-9

四六判上製／270頁／99・3

「読者はこの短編小説集に興奮する私をわかってくれるだろうか」（中上健次氏）。苛烈なアフガンの大地に生きる人々、生と死、神と人が灼熱に融和する世界を描き切る神話的短編小説

1800円

甲斐大策

シャリマール

シルクロードをめぐる愛の物語

4-88344-037-0

四六判上製／271頁／99・3

イスラム教徒でもある著者による、美しいイスラムの愛の物語集。玲瓏たる月の光の下、禁欲と官能と聖性、そして生と死の哀しみに満ちた世界が、墜落感にも似た、未知の快楽へと誘う

1800円

甲斐大策

聖愚者(せいぐしゃ)の物語

4-88344-103-2

四六判上製／292頁／03・9

最も神に近い人々——愚かさと高貴に満ち、剛毅で嘘つきで裏切り、信じ、戦い、命で贖う。灼熱の大地に流離う男・女・老人・子供・難民・職人・族長……魂揺さぶる四十七の掌篇小説集

1800円

＊価格は本体価格（税別）で表示しています

石牟礼道子
はにかみの国　石牟礼道子全詩集　＊在庫切れ
978-4-88344-085-6　Ａ５判上製／170頁／02・8

芸術選奨文部科学大臣賞　石牟礼作品の底流に響く神話的世界が、詩という蒸留器で清冽に結露する。『石牟礼道子詩集［完全版］（Ａ５判上製　四五二頁）』を、二〇二〇年二月刊行予定　**【3刷】2500円**

渡辺京二
細部にやどる夢　私と西洋文学
978-4-88344-207-2　四六判上製／187頁／11・12

少年の日々、退屈極まりなかった世界文学の名作古典が、なぜ、今読めるのか。ディケンズ、ゾラからブルガーコフ、オーウェルまで、小説を読む至福と作法について明晰自在に語る評論集　**1500円**

工藤信彦
わが内なる樺太　外地であり内地であった「植民地」をめぐって
978-4-88344-170-9　四六判上製／311頁／08・11

一九四五年八月九日、ソ連軍が樺太に侵攻。戦争終結後も戦闘と空爆は継続され多くの民衆が犠牲となった。十四歳で樺太から疎開した少年の魂が、樺太の歴史を通して国家とは何かを問う　**2500円**

八板俊輔
馬毛島漂流
978-4-88344-257-7　四六判上製／218頁／15・10

種子島西方に浮かび、日米安保の渦の中で〝漂流〟を続ける馬毛島。種子島在住の元新聞記者が、島に渡り、歩き、喰い、時には遭難して知った孤島の今を、短歌と写真を添えて伝えるルポルタージュ　**1600円**

富樫貞夫
水俣病事件と法
4-88344-008-7　Ａ５判上製／483頁／95・11

水俣病問題の政治的決着を排す一法律学者渾身の証言集。水俣病事件に置ける企業、行政の犯罪に対し、安全性の考えに基づく新たな過失論で裁判理論を構築、未曾有の公害事件の法的責任を糺す　**5000円**

成 元哲 編著　牛島佳代／松谷 満／阪口祐介 著

終わらない被災の時間

原発事故が福島県中通りの親子に与える影響（ストレス）

978-4-88344-250-8　四六判上製／281頁／15・3

放射能と情報不安の中、幼い子供を持つ母親のストレスは行き場のない怒りとなって、ふるえている――。避難区域に隣接した中通り地区に住む母親を対象としたアンケート調査の分析と提言　1800円

内田良介

子どもたちの問題　家族の力

978-4-88344-278-2　四六判上製／265頁／18・2

子どもたちは無意識の底で「それはちがう」とささやく。不登校、非行、性的虐待、発達障害。子どもたちが抱えたさまざまな問題に、大人はどう向き合ったか。元児童相談所職員がまとめた子どもと家族の物語　2000円

J・グループマン／美沢惠子 訳

医者は現場でどう考えるか

978-4-88344-200-3　A5判上製／313頁／11・10

「間違える医者」と「間違えぬ医者」は、どこが異なるのか。診断エラーを回避するために臨床現場での具体例をあげながら、医師の「思考プロセス」を探索した刺激的医療原論のロングセラー　【6刷】2800円

冨田江里子

フィリピンの小さな産院から

＊在庫僅少

978-4-88344-226-3　四六判上製／287頁／13・4

近代化の風潮と疲弊した伝統社会との板挟みの中で、多産と貧困に苦しむ途上国の人々。フィリピンの最貧困地区に助産院を開いて十三年、苦闘の日々から人間本来の豊かさを問う　【2刷】1800円

高野正博　高野病院 会長

誰にも尋（き）けないおしりの難病

NISと自己臭症

978-4-88344-251-5　四六判並製／174頁／15・4

神経因性骨盤臓器症候群（NIS）、おしりの自己臭症、消散性直腸肛門痛――長年お尻の病気を診続けてきた医師が、尻・腰・腹に重複して起こる症候群に対して、画期的治療法を提示　1300円

＊価格は本体価格(税別)で表示しています

藤田洋三
鏝絵(こてえ)放浪記
978-4-88344-069-9
四六判並製／306頁／01・1

壁に刻まれた左官職人の技・鏝絵。その豊穣に魅せられた一人の写真家が、故郷大分を振り出しに日本全国を駆け巡り、中国・アフリカまで歩き続けた、二十五年の旅の記録

【3刷】2200円

藤田洋三
世間遺産放浪記　俗世間篇
978-4-88344-208-9
A5判変型並製／304頁／07・4

それは、暮らしと風土が生んだ庶民の遺産。建築家なしの名土木から、職人の手技が生んだ造作意匠、無意識過剰な迷建築まで、心に沁みる三〇六遺産をオールカラーで紹介する第二弾！

2700円

小林澄夫
左官礼讃
978-4-88344-077-1
四六判上製／429頁／01・8

専門誌「左官教室」の編集長が、左官という仕事への愛着と誇り、土と水と風が織りなす土壁の美しさを綴り、殺伐たる現代文明への批判、潤いの文明へ向けての深い洞察を記す

【8刷】2800円

小林澄夫
左官礼讃 II　泥と風景
978-4-88344-171-6
四六判上製／272頁／09・5

左官技術の継承のみならず、新たなる想像力によって、心の拠り所となる美しい風景をつくる。深い洞察と詩情あふれる感性によって綴られた左官職人の「バイブル」第二弾

【2刷】2200円

ティンドラ・ドロッペ 絵・文　＊在庫僅少
北欧やすらぎ散歩　スケッチで旅するデンマーク
978-4-88344-209-6
A5判並製函入／144頁／11・12

人々が満ち足りて暮すデンマークに六年通った著者が描く街の見どころ、かわいいもの、素朴な暮らし。「誰もがなんとなく、でも確かに感じている〝一番大切な何か〟にきっと気付く」(山村光春氏)

1900円

小泉武夫 著　松隈直樹 写真　＊フルカラー

小泉武夫の九州（チュルチュルピュルピュル）舌の旅

978-4-88344-244-7

B5判変形並製／205頁／14・12

老舗から鄙の宿まで、食の冒険家が探し求めた九州各地、釜山の味を紹介。「旅に出たらその土地の美味しいものを食べること。それが心への土産なのである」（「まえがき」より）

1500円

吉川　敦

〈進学校〉校長の愉（たの）しみ

久留米大学附設での9年

978-4-88344-275-1

四六判上製／309頁／17・10

「不健全な業界人」でなく「健全なる素人」をめざせ——一数学者が、不思議な縁で〈進学校〉の校長となり、若者たちと向き合い考えた。目次／附設と現代史／昔の校長先生／拙見—浅薄であること 他

2000円

福元満治

出版屋（ほんや）の考え休むににたり

978-4-88344-215-7

四六判上製／285頁／12・7

出版屋のおやじが、どじょうやなまずのように川底から世界を眺むれば、そこに何が見えるのか。Ⅰ 私は営業が苦手だ　Ⅱ 博多バブル前後　Ⅲ 石牟礼道子ノート　Ⅳ なぜかアフガニスタン他

【2刷】1800円

エステル石郷 文・絵　古川暢朗 訳　＊在庫僅少

ローン・ハート・マウンテン

日系人強制収容所の日々

A4判変型並製／138頁／92・8

〝パール・ハーバー〟に対する報復として、日系人十一万人が強制収容所に抑留された。日系人の妻として三年余の収容所生活を送った白人の画家が、百十枚のスケッチと文章で綴った感動の画文集

2000円

臼井隆一郎

アウシュヴィッツのコーヒー

コーヒーが映す総力戦の世界

978-4-88344-269-0

四六判上製／282頁／16・10

ドイツという怪物をコーヒーで読み解く。独自の視点で論じる西欧（ヨーロッパ）文化論。「アウシュヴィッツなしには西欧人がアフリカ人にしたことは決して理解できなかっただろう」（アルフレッド・メトロー）

【2刷】2500円

＊価格は本体価格(税別)で表示しています

宮崎静夫
十五歳の義勇軍 満州・シベリアの七年
4-88344-192-1　四六判上製／278頁／10・11

十五歳で満蒙開拓青少年義勇軍に志願し、十七歳で関東軍に志願。敗戦そして四年間のシベリア抑留を経て帰国し、炭焼きや土工をしつつ、絵描きを志した一画家の自伝的エッセイ集　**2000円**

宮崎静夫
死者のために ＊画集
978-4-88344-254-6　大スキラ判／164頁／15・5

『十五歳の義勇軍――満州・シベリアの七年』の著者が描く、連作「死者のために」。初期代表作「ドラム缶」シリーズなど主要作品も収録。巻末に、浜田知明氏他の「人と評」を掲載　**2500円**

松浦豊敏
越南（えつなん）ルート
978-4-88344-202-7　四六判上製／255頁／11・10

華北からインドシナ半島まで四千キロを行軍した冬部隊一兵卒の、戦中戦後を巡る自伝的小説集。戦争を生きた人間の思念が深く静かに鳴り響く、戦争文学の知られざる傑作　**1800円**

斉藤泰嘉
佐藤慶太郎伝 東京府美術館を建てた石炭の神様
978-4-88344-163-1　四六判上製／335頁／08・5

日本のカーネギーを目指し、日本初の美術館を建て、戦局濃い中「美しい生活とは何か」を希求し続けた九州若松の石炭商の清冽な生涯。「自分一代で得た金は世の中んために差し出さにゃ」　**【2刷】2500円**

井口幸久・インタビュー
石心 囲碁棋士大竹英雄小伝
978-4-88344-235-5　四六判上製／319頁／13・8

わずか九歳で故郷・八幡を離れ、巨匠・木谷實に入門。呉清源、林海峰、趙治勲、小林光一。歴代の強豪と凄絶な名勝負を繰り広げた至高のマエストロが、その半生を語る　**1700円**

毎日新聞西部本社

熊本地震　明日（あす）のための記録　＊在庫僅少

978-4-88344-272-0　B5判変型並製／220頁／17・3

行政もメディアも市民も「想定外」の連続震度7。――甚大な被害を齎した熊本地震の最中、人々は生きる為に、懸命に動いた。現場に即した記事と写真で市民生活からインフラまでの被害と対応の諸相に迫る　1800円

毎日新聞西部本社報道部 著

北九州市 50年の物語

978-4-88344-228-7　A5判変型並製／200頁／13・4

二〇一三年二月で市制五十周年を迎えた北九州市。六二年の五市合併から現在まで、忘れられない出来事や事件を、当時の貴重な報道写真とともにふりかえる、半世紀のタイムトラベル　【3刷】1500円

毎日新聞西部本社報道部 著

北九州市 戦後70年の物語　＊在庫切れ

978-4-88344-248-5　A5判変型並製／206頁／15・1

終戦から七十年、五市合併から五十一年、秘蔵写真も発掘して、北九州の光と影をドキュメントする。『50年の物語』続編。戦中、戦後の節目に撮影された貴重な写真約180点を収録　【2刷】1500円

長妻靖彦

北九州の底ぢから　［現場力］が海図なき明日を拓く

978-4-88344-240-9　A5判上製／619頁／14・2

公害・鉄冷えの街から世界環境首都へ――。北九州という、情にあつく、人間臭い町で、モノづくりを原点とする経済活動を担ってきた経営人100人に、その要諦と本音を聞いたインタビュー集　3500円

西日本文化協会 編　日野文雄 責任編集

明治博多往来図会（ずえ）　祝部（ほおり）至善（しぜん）画文集　＊在庫僅少

4-88344-016-8　四六判上製／426頁／96・11

往来で商う物売りたちの声、辻々のざわめき、庶民の暮らしと風俗が、いま甦る。驚嘆すべき記憶と、大和絵の細密な筆致で再現される明治の博多。「よい時代に生まれた幸せそのものだった」（服部幸雄氏）　5000円

＊価格は本体価格（税別）で表示しています

阿部謹也
ヨーロッパを読む
4-88344-005-4
四六判上製／507頁／95・10
「死者の社会史」「笛吹き男は何故差別されたか」から「世間論」まで、ヨーロッパにおける近代の成立を解明しながら、世間的日常と近代的個に分裂して生きる日本知識人の問題に迫る阿部史学のエッセンス　**【3刷】3500円**

加藤知弘
バテレンと宗麟の時代
＊在庫切れ
4-88344-016-8
四六判上製／426頁／96・11
地中海学界賞／ロドリゲス通事賞受賞　戦国時代、それはキリスト教文明との熾烈な格闘の時代でもあった。アジアをめざす宣教師たちの野心が、豊後府内の地で大友宗麟の野望とスパークする　**3000円**

池田善朗
地形から読む　筑前の古地名・小字（こあざ）
978-4-88344-222-5
四六判並製／248頁／13・2
薬院＝泥地。警固＝崩壊地。呉服町＝湿地。筑紫＝丘陵。漢字以前のヤマトコトバの音韻と現地の自然地形をベースに、消えた大字（おおあざ）・小字（こあざ）、類似する地名まで細かく調査。旧筑前エリア四五〇ヶ所の由来を解く　**1900円**

佐藤正彦
福岡城天守を復原する
978-4-88344-198-3
四六判並製／256頁／11・8
築城の名手・黒田如水とその子・長政。新発見の文書や「九州諸城図」をはじめ注目史料を読み解きながら、天守はなかったとされてきた福岡城の実像を提示し、天守破却の謎にまで迫る　**1900円**

安達ひでや
笑う門（かど）にはチンドン屋
〈CD付き〉
4-88344-117-2
四六判並製／246頁／05・2
漫談少年がロックにかぶれ、上京するも挫折。保証をかぶって火の車。日銭稼ぎに立った大道芸の路上で、運命の時はやってきた。全日本チンドンコンクール優勝の親方が綴る裏話満載のエッセイ集　**1500円**

浅川マキ
こんな風に過ぎて行くのなら
四六判上製／212頁／03・7
4-88344-098-2
ディープにしみるアンダーグラウンド──。「夜が明けたら」「かもめ」で鮮烈にデビューするも、常に「反時代的」であり続けた歌手。その三十年の歳月を、時代を、そして気分を照らし出す、著者初のエッセイ集【3刷】2000円

前山光則 編
淵上毛錢詩集　増補新装版
A5判上製／214頁／15・11
978-4-88344-258-4
「生きた、臥た、書いた」──水俣が生んだ夭折の詩人が、死の床に臥して十五年、死を見すえつつ生の瑞々しさを謳う。「ぼくが／死んでからも／十二時がきたら　十二／鳴るのかい」（「柱時計」）2200円

うしじまひろこ
博多っ娘詩集　いきるっちゃん
A5判変型上製／106頁／11・11
978-4-88344-204-1
女の子の気持ちを唄った博多弁詩集。「詩ば書いたら、博多弁になったと！」。たのしいこと、かなしいこと、くやしいこと、いろいろあるばってん、きょうもあたしはいきるっちゃん！1300円

みずかみかずよ 文　長野ヒデ子 絵
ごめんねキューピー
A5判変型上製／84頁／05・7
4-88344-125-3
戦争中、親戚に引き取られていた女の子。駄菓子屋さんにならんだキューピー人形に心をうばわれ、つい、お金もはらわずに……。父を亡くし母をも失った女の子の心の葛藤を鮮やかに描いた名作　1500円

水上平吉
かずよ　一詩人の生涯
四六判上製／200頁／13・9
978-4-88344-237-9
ひとりの詩人がみずみずしく甦る。小学校の国語教科書に多くの詩が掲載されたみずかみかずよ（北九州市民文化賞受賞）。五十代の若さで逝った詩人の生涯を人生の同伴者が綴る　1500円

＊価格は本体価格（税別）で表示しています

バーサンスレン・ボロルマー作　長野ヒデ子訳

モンゴルの黒い髪

＊絵本　＊在庫切れ

4-88344-115-6

Ａ４判上製／32頁／04・11

04年国民文化祭・絵本大会グランプリ受賞　敵は邪悪な四羽のカラス。武器もない女たちが草原と家族を守った――。モンゴルの伝統民話を題材に、色彩豊かに描かれた作者の絵本第一作　**【3刷】1300円**

バーサンスレン・ボロルマー作　長野ヒデ子訳

ぼくのうちはゲル

＊絵本

4-88344-134-2

Ａ４判上製／32頁／06・4

05年野間国際絵本原画コンクールグランプリ受賞　宿営地を求め家畜と共に草原を旅するモンゴル移動民の四季のくらしを細密な筆致で描く。日本語版から、英語・仏語・韓国語・中国語に翻訳出版　**【2刷】1500円**

イヴォナ・フミエレフスカ作　田村和子・松方路子訳

ブルムカの日記

コルチャック先生と12人の子どもたち

＊絵本

978-4-88344-219-5

Ａ４判変型上製／65頁／12・11

ナチス支配下のワルシャワで、コルチャック先生は孤児たちと共に暮らしていた。悲劇的運命に見舞われる子どもたち。その日常とコルチャック先生の子どもへの愛が静かに刻まれた絵本　**【2刷】2500円**

なかがわもとこ文　スタシス・エイドリゲーヴィチュス絵

アウスラさんのみつあみ道

＊絵本

978-4-88344-252-2

Ａ４判上製／32頁／15・4

おだやかな大地を、ある日、大きな嵐が襲い、小熊のユルギスは空に飛ばされてしまいます――リトアニアに生まれ、ポーランドを拠点に活動する画家が描き出す、幻想的でリアルな再生の物語　**1500円**

ジュールズ・ファイファー作　れーどる&くれーどる訳

あたしのくまちゃんみなかった？

＊絵本

978-4-88344-182-2

Ａ４判変型上製／40頁／10・7

ニューヨークタイムズ最優秀絵本賞受賞　とっても大切なくまのぬいぐるみをなくしちゃった女の子。どこを探しもみつからない！　ピューリッツァー賞受賞作家が描いた、全米ベストセラー絵本　**1300円**

佐木隆三 文　黒田征太郎 絵　＊在庫僅少

昭和二十年 八さいの日記　＊絵本

978-4-88344-196-9　A4判上製カラー／32頁／11・7

「ぼく、キノコ雲を見たんだ」——八歳だった佐木隆三氏が少年の心象を記し、七歳だった黒田征太郎氏が渾身の気迫で絵を描いた。平和と命への希求が描かれた〈イノチの絵本〉【2刷】1300円

黒田征太郎 作

火の話　＊絵本　＊在庫僅少

978-4-88344-206-5　A4判上製／33頁／11・12

火の神から火をあたえられたニンゲンたちと神は一つの約束をした。「火を使って、殺し合いをしてはならぬ」。戦争から原子力発電まで、宇宙や神話という永い時間の中で考える絵本　1300円

近藤等則 文　黒田征太郎 絵

水の話　＊絵本

978-4-88344-213-3　A4判上製／33頁／12・7

水は宇宙からやってきた。そして地球上の生命は全て水から生まれた——。黒田征太郎と世界的トランペッター近藤等則とのコラボレーションから生まれた、水と命の長い長い物語　1300円

小泉武夫 文　黒田征太郎 絵

土(つち)の話　＊絵本

978-4-88344-225-6　A4判上製／33頁／13・3

フクシマの土が阿武隈(あぶくま)弁で人間文明を告発する。「こりねでまだ放射能なんていじりまわしたらよ、今度こそ何もかも終りだもんない」。『火の話』『水の話』に続く第3弾　1300円

鬼塚勝也 文　黒田征太郎 絵

つよくなりたい　＊絵本

978-4-88344-245-4　A4判上製／32頁／14・9

元ボクシング世界チャンピオンと、国際的に活動する画家が出会い、生まれた、異色の絵本。少年と森に棲む知恵の主・フクロウの出会いを通して、本当の〝つよさ〟とは何かを問う　1300円

＊価格は本体価格(税別)で表示しています

黒田征太郎 絵　ふくもとまんじ 文

岩になった鯨(くじら)　＊絵本

978-4-88344-214-0　B5判変型上製／32頁／12・7

ひとは、心のどこかにまぼろしをかかえて生きています。これは、あなたの心にすむ鯨と龍の物語です――。旅する鯨が天空に舞う龍に心を奪われた！　大人も子どもも楽しめるファンタジックストーリー　**1200円**

アビゲイル&エイドリアン・アッカーマン　飼牛万里 訳

おかあさんが乳がんになったの　＊絵本

978-4-88344-147-1　A4判上製／33頁／11・6

乳がんになって髪の毛が抜けてしまったおかあさん。家族、友人、みんなに支えられた闘病生活を、九歳と十一歳の娘たちが描いたドキュメント闘病絵本。病気が家族の絆をより強くした！　**1500円**

ごとうひろし 文　なすまさひこ 絵

なんでバイバイするとやか？　＊絵本

978-4-88344-160-0　A4判上製／42頁／08・3

養護学校に通う中学二年のてつお君はいつもバイバイしながらよってくる。「なんでバイバイするとやか？」と小学三年のきんじ君。表と裏の表紙から始まる、瑞々しい心と心が出会う「魔法の絵本」　**【3刷】1300円**

ながのひでこ 作

とうさんかあさん　＊絵本　＊在庫僅少

978-4-88344-131-0　A4判上製／32頁／05・12

第一回日本の絵本賞文部大臣奨励賞受賞　「とうさん、かあさん、聞かせて、子どものころのはなし」。子どもの好奇心が広げる、素朴であったかい世界。ロングセラーとなった長野ワールドの原点　**【2刷】1400円**

長野ヒデ子 編著　右手(うて)和子／やべ みつのり 著

演じてみよう つくってみよう 紙芝居

978-4-88344-234-8　A5判並製／128頁／13・6

日本で生まれた紙芝居が、いま世界中で大人気。紙芝居は観るだけでなく、自分で演じて、そして作ってみると、その面白さがぐんと深まります。紙芝居の入門書。イラスト多数　**【3刷】1300円**

長野ヒデ子
ふしぎとうれしい ＊在庫切れ
4-88344-064-8　四六判並製／278頁／00・8

「生きのいいタイがはねている。そんなふうな本なのよ」（長新太氏）。使い込んだ布のようにやわらかなことばで、絵本と友をいきいきと語る、絵本日本賞作家・長野ヒデ子初のエッセイ集　【3刷】1500円

岩崎京子
熊の茶屋　街道茶屋百年ばなしシリーズ
4-88344-118-0　四六判並製／222頁／05・3

熊を茶店の名物にしようと芸を仕込む主を描いた表題作から、建具職人に奉公する姉弟の健気な姿を描いた「姉弟」まで、東海道を舞台に、庶民生活の哀歓を清々しい筆致で描いた短編時代小説集　1500円

岩崎京子
子育てまんじゅう　街道茶屋百年ばなしシリーズ
4-88344-119-9　四六判並製／224頁／05・3

子育て観音にあやかった饅頭を商う、参道の土産物屋の姉妹の暮らしを描いた表題作をはじめ、文化文政期の東海道・鶴見村と周辺の宿場町の生活風景をさわやかな筆致で描く。シリーズ第二弾　1500円

岩崎京子
元治（げんじ）元年のサーカス　街道茶屋百年ばなしシリーズ
4-88344-120-2　四六判並製／286頁／05・3

来航した異人の珍道中から、軽業師の一座とサーカスの出会いを描いた表題作まで、〈御一新〉の嵐に翻弄されつつも清々しく生きる庶民の生活を活写した短編時代小説集第三弾！　1500円

岩崎京子
久留米がすりのうた　井上でん物語
978-4-88344-156-3　四六判並製／208頁／07・12

久留米がすりの始祖・井上でん。祖母の機織りを手伝いながら、好奇心のかたまりとなった少女が、天才発明少年と共に、可憐な「久留米がすり」の技法を完成させるまでの前半生を描いた長編小説　1500円

2019.12 30,000

＊価格は本体価格（税別）で表示しています

あごら九州 編

あごら 雑誌でつないだフェミニズム 三部作

Ⅰ 978-4-88344-266-9 Ⅱ 978-4-88344-267-6
Ⅲ 978-4-88344-268-3 A5判上製／Ⅰから335・355・374頁／16・11

一九七二年～二〇一二年の半世紀にわたり、全国の女性の声を集め、個の問題を社会へ開いた情報誌『あごら』とその運動の軌跡。主要論文をまとめた一・二巻、『あごら』の活動を総括した三巻の三部構成

各2500円

井上佳子

三池炭鉱「月の記憶」そして与論を出た人びと

978-4-88344-197-6 四六判上製／255頁／11・7

囚人労働に始まった三井三池炭鉱百年の歴史。与論出身者、中国人、朝鮮人など、過酷な労働により差別的に支配されながら、懸命に働き、泣き、笑い、強靭に生き抜いた人々を描く

【2刷】1800円

農中茂徳

三池炭鉱 宮原社宅の少年

978-4-88344-265-2 四六判上製／256頁／16・6

昭和30年代の大牟田。炭鉱社宅での日々を少年の眼を通して描く。「宮原社宅で育った自分史が希少な地域史となり、三池争議をはさむ激動の社会史の側面をもっている」（東京学芸大学名誉教授 小林文人）

【3刷】1800円

農中茂徳

だけど だいじょうぶ「特別支援」の現場から

978-4-88344-281-2 四六判上製／240頁／18・6

三池の炭鉱社宅で育った少年が「特別支援」学校の教員になった。「障害」のある子どもたちと、くんずほぐれつ、心を通わせていった一教員の実践と思考の軌跡——「我在り ゆえに我思う」

1800円

浅野美和子

野村望東尼 姫島流刑記「夢かぞへ」と「ひめしまにき」を読む

口絵カラー4頁＋口絵モノクロ8頁

978-4-88344-283-6 A5判上製／540頁／19・4

筑前勤王党二十一人が自刃・斬罪に処せられた慶応元年の乙丑の獄。歌人野村望東尼も連座。糸島半島沖の姫島に流罪となる——本書は、望東尼直筆の稿本を翻刻し注釈を加えた流刑日記

3800円

郵便はがき

料金受取人払郵便

福岡中央局
承認

1

差出有効期間
2022年2月28
日まで

810-8790

157

(受取人)
福岡市中央区渡辺通二—三—二四
ダイレイ第5ビル5階

石風社

読者カード係 行

注文書◆ このハガキでご注文下されば、小社出版物が迅速に入手できます。(送料は不要です)

書　　名	定　価	部　数

＊郵便振替用紙を同封しますので、送金手数料は不要です。

ご愛読ありがとうございます

＊お書き戴いたご意見は今後の出版の参考に致します。

デューラーと共に

(　　歳)

ふりがな
ご氏名

(お仕事　　　　)

〒
ご住所

☎　　(　　)

●お求めの書店名

●お求めのきっかけ

●本書についてのご感想、今後の小社出版物についてのご希望、その他

月　　日

である。しかし『夜警』とそれ以外の作品には大きな違い、というよりは決定的なレベルの差があるのだ。

それまでの集団肖像画といえば、同業者組合などのメンバーがお金を出し合って注文するために、皆が同じ大きさに描かれるといった有様で、言ってみれば、卒業アルバム式の記念写真の域を出なかった。たとえ人物の配置に工夫を凝らしたとしても、ポーズを取らされた人物たちに動きはまったく感じられない。ところが『夜警』は、一連の動きの中の一瞬を、見事に描き切った画期的作品となっているのだ。

このような説明は数多の美術書に出ている。実際に作品を目の当たりにした私の印象も、やはりそのようなものだった。人物たちは今にも動き出しそうなほどであるし、画面中央で話をしているフランス・バニング・コック隊長と副隊長の声が、聞こえるような気さえした。隊長は私にも出発の号令をかけたのではなかったのか。

バニング・コック隊長は、その圧倒的な人間的力量を、体の大きさで表しているように感じられた。隊の一員になったかのような錯覚に囚われた一瞬、私は時間と場所を、彼らと共有していたのではなかったか。これが絵画集などでは見知っていた『夜警』との出会いであった。

この絵画は一九七五年、常設展示中、ある男にナイフで十個所を切り裂かれた。その後八カ月という長い修復期間を経て再び元の場所に展示されたのであるが、絵画の前には立入りを制限する柵が設けられ、常に警備員が見張ることになった。長い説明になったがこの絵画の紹介が目的ではない。ほんの一瞬のことでも忘れられないような人との出会いを記すことが目的である。もちろん絵画の中のバニング・コック隊長に私は出会ったと言ってよいかも知れないが、私は『夜警』の警備員に話しかけたのである。いいや、話しかけてしまったのである。

「あなたはこの絵画を、夜警（ナイトウォッチ）しているのですね」

精悍な顔つきの彼は、私を見て、ちょっとだけニッコリして頷くと、すぐに警備員の厳しい目に戻ってしまった。もう話しかけてはいけないことが、私にはわかったのだった。

ファン・ゴッホ・ミュージアム

国立美術館の南隣にはゴッホ美術館がある。私が滞在した一九九八年、ゴッホ美術館は、黒川紀章氏によって設計された新館の建設を含む大改修のため、休館中であった。その間、ゴッホの作品は国立美術館の南館に仮住まいしていた。しかし全ての作品を展示できるはずもなく、その期間中は世界中に貸し出しが行われて、日本でもゴッホの展覧会が開催されたと記憶している。

ゴッホ美術館は、オランダを代表するばかりか、デ・スティル派そして二十世紀を代表する巨匠の一人であるリートフェルトの設計である。改装中の美術館に入館できるはずはないが、外観だけでも見ておこうとゴッホ美術館を訪ねた。彼の代表作であるユトレヒトのシュレーダー邸と較べれば、これといった特徴も感じられないモダン建築のファサードにサインを見つけて、「ファン・ゴッホ・

ミュージアム」と読み上げながら眺めていると、中年男性がぶつぶつ言いながら私の前を通り過ぎて行った。

用心しなければ。私は咄嗟にそう思った。というのはオランダでは、ある程度は麻薬の使用も法律で認められていると聞いていたからである。私は、やや身構えて彼の後姿を見守った。しかし独り言を呟きながら歩くような人はどこにだっているではないか。そう思いながら彼の後姿を眺めていると、彼は振り返って大声で教えてくれた。

「ゴッホの展示は、今は、むこうの美術館だよ」

私も大声で答えた。

「はい、知っています。今、見てきました」

「そうかい、それじゃ、さよなら」と言って、手を振ると、彼は再び私に背を向けた。

「ありがとうございました。さよなら」と私が言うと、彼は背を向けたまま、大きく手を振ってサヨナラをしてくれた。こちらを振り返ることはなかったが、彼の後ろ姿はとてもやさしく見えた。彼はアブナイ人ではなく、親切な人だったのだ。何故といって、休館中の美術館の前で困っている旅行者に、聞こえてくれれば良いがと思いながら呟き、声をかけようか、かけまいか、と迷っていたのだから。世界中から人が集まるこの町では、こうした出来事は日常茶飯の風景なのかも知れないと思ったことだった。

この経験が嬉しい思い出となった私は、アムステルダム中心部の交通や地理に慣れてきた頃から、困っている日本人旅行者を見かけると、声をかけるようにした。

　王宮のあるダム広場から、歩行者天国のショッピングストリートであるカルファー通りを抜けて、ムント塔やホテル・ヨーロッパのあるシンゲル運河とアムステル川の合流地点辺りまでは、観光客の集まるエリアである。トラムが何路線も乗り入れている大きな交差点では、これでもか、というくらいに物を詰め込んだウエストポーチを腰に巻いたスーツ姿の日本人の集団をよく見かけた。団体旅行の合間、あるいは出張の合間を縫って自由行動している人たちであろう。電停などで輪を作って地図を広げている。足元に置いたカバンやバッグ類への注意は疎かになっていて、見るからにスキだらけである。私はすかさず声をかける。

「こんにちは、日本からですか、どちらをお探しですか、お手伝いしましょうか？」

　すると彼らは、まるで犯罪者でも見るような目で私を観察するのである。私が一人であること、そしてそこが大通りの電停であることから、何もひったくられはしないと判断がつくと、ぶっきらぼうに仰るのである。

「国立美術館」

「この電停から、こちらの方角に向って三つ目の電停で降りると、美術館は右手に見えます。そこからは運河沿いに歩いて下さい」と私が言うと、彼らは再び地図を見て考え込んでしまう。

「現在位置はここです」と地図を指差しながら説明すると、「そうか、今、ここにいるんだ。わかった、わかった」と言って、そのまま反対側の電停に渡ってしまうのである。呆気に取られて私が見ていると、まだいたのか、といった面持ちで私を振り返る。そして笑いもせず、早くいけ、とでも言わんばかりの態度で手を上げながら「ありがとう」と言うのである。

そんなことが連続したので、私はスーツ姿の日本人の集団には声をかけなくなった。女性にはもちろん声をかけたいが、プライベートでやって来ている彼女たちは積極的に土地の人に道を尋ねている。それどころか会話を楽しむといった風情である。こちらの男性は女性にとても優しい。それは努めてそうしているのではなく身についたものである。懸命に言葉を理解しようとする彼女たちに、いろいろと表現を変えて、あるときは地図を指差しながら、丁寧に何度も何度も説明している。彼らも同様に会話を楽しんでいるのがよくわかる。つまり私の出番など、まったくないのである。

コンセルトヘボウのランチコンサート

英語で言えばコンサートホールということになるのだろうか。コンセルトヘボウはミュージアムプレーンの南端に建ち、正面をプレーンへ向けている。ミュージアムプレーンは、やはり英語で言えばミュージアムパークとなるのだろうか。その名が示すように、このコンセルトヘボウ、アムステルダム市立美術館、ゴッホ美術館、そして国立美術館に南北と西側を囲まれた博物館広場である。東側だけは一般建築に面している。

コンセルトヘボウではクリスマスなどの一時期を除き、毎週水曜日にランチコンサートと呼ばれる無料のステージを楽しむことができる。滞在中、私はこの演奏会に何度も足を運んだ。時間は十二時三〇分から十三時までの三十分間である。プログラムは様々で、オーケストラの練習風景であったり、新人奏者のデビューであったり、またあるときは前衛的な演奏の披露であったりする。水曜日の十二時前になると一階ロビーには行列ができはじめる。少しでもよい席に着こうという気持ちもあるのだろうが、特にコンサートの日は、時間になるとホール前の檻のようなゲートが閉められて入場は不可能になる。それで聴衆は遅刻するまいと少々早目に出陣することになるのだ。

ある日のランチコンサートは若い女性演奏者三人のデビューの舞台であった。最初に登場したのは、ピアノ奏者の女の子。遠目にも緊張で震えているのがわかる。先生に促されて観客に挨拶すると、三十歳くらいに見える男性教師と彼女はピアノの前に並んで腰掛けた。何やら彼女に語りかけている。「もう落ち着きましたか」とでも言っているのだろうか。彼女の動揺はなかなか収まらない。既に私たち聴衆は観賞の態勢に入っていた。

動揺も収まらぬままに彼女の演奏ははじまった。曲は先生との連弾で進行した。最初は少しぎこちない感じだったが終り方になると調子が出てきたのか音色はなめらかになった。そして一音の間違いもなく演奏は終了した。会場は大きな拍手に包まれた。再び先生に促されて彼女は立ち上がり、今度は体いっぱいにその拍手を浴びた。先生は「わかりますか、聞こえますか」と彼女に囁いているように感じた。彼女は会場を一瞥すると顔を赤くして嬉しそうにステージを後にした。よく頑張ったねという観衆の拍手と表情が彼女には理解できたのだった。拍手が演奏者を育ててゆく。観客も演奏者と一体になる。私はこの光景を忘れないだろう。

　二番目のチェロ奏者は落ち着いていた。楽器の大きさがそうさせるのか、ゆっくりとした動きで準備を進めていく。そして努めて冷静さを保つかのような仕草で緊張を高めていった。演奏がはじまると同時に、観客の体は、弓の動きをなぞるように前後に揺れ、会場全体が演奏に入り込んだ。安定した上に包み込むような演奏であった。演奏を終え、落ち着いた動作で弓を降ろし、緊張を解いた顔を会場へ向けると、彼女は大きな拍手を浴びた。それは応援や励ましではなく賞賛の拍手であった。

　最後に登場したのはバイオリンの女の子。リラックスしているのがよくわかる。金髪をポニーテールにして可愛さ若々しさが強調されている。三人の中で最も若かったに違いない。さらにグレーのワンピースは膝上でカットされていて、あどけなさを引き立てている。これは演出されたことなのだろうか。そんなことを考えていると彼女は既に雰囲気を作り上げ演奏に入ろうとしていた。

　演奏がはじまるとさらに驚いた。バイオリンの音色は彼女の雰囲気とは懸け離れた大人のそれだったのである。そのギャップが強烈な印象となった。彼女は自分自身の音楽の力で拍手を浴びた。感動を与えることができたのである。プロの仕事で拍手を得たのである。拍手は彼女に自信を与えたに違いない。

　プログラムが終了して感じたのは、こうした場の存在は、演奏者にとっても観客にとっても素晴らしいということだ。

ランチコンサートへ向うトラムの中では、こんな出来事もあった。コンセルトヘボウ前電停まであと一つか二つというところで、レールの補修工事のために停車させられたのである。二人の老婦人が運転手に歩み寄り、腕時計を指差しながら抗議した。時刻とトラムの行き先から「ランチコンサートに間に合わないじゃないの」と言っているのは明らかである。運転手は両手を広げて、私にはどうすることもできませんといった感じで答えていたが、やがて三人は大声で笑った。こうしたときにこそユーモアのセンスが必要なのだ。その日のコンサートにはどうにか間に合うことができた。それにしても買い物籠を提げてコンサートホールで音楽観賞とは、なんとも余裕というべきか、うらやましい限りであった。

また、ある日のランチコンサートはコンセルトヘボウ管弦楽団の公開練習だった。リラックスした雰囲気で練習は進み、指揮者は時々マイクを持ち客席に向って説明をする。楽団員に語りかける声は、前方の客席には聞こえるようで、冗談を言っているのか、笑いが沸き起こったりする。実はこれがショーになっているのだ。

オーケストラが繰り返し同じ部分を練習していると、どのように演奏が変わってゆくのか、聴き取ることができるようになってくる。それは指揮者が、「もう一度やりますから、注意して聴いてください。皆さんがわからないなら、それはオーケストラが悪いのです」というように会場を沸かせるからである。ほんの一瞬の笑いの後、指揮者がタクトを構えると、劇場は静寂に包まれる。タクトが振られ二小節ばかり演奏して、再び指揮者がこちらを振り向くと、打って変わって感嘆のどよめきが湧き起こるのだった。指揮者は再びマイクを持って微笑みながら言った。

「もしわからない方ばかりなら、後はすべてオランダ語でお話しようかと思っていました」

　会場は、拍手をする人、笑う人、そしてキョトンとしている人に分かれる。拍手をするのは主にオランダ人ということになるだろうか。指揮者は客席を見渡し、だいたい種分けできましたとでもいうように二～三度頷いてから、次の部分に移っていった。


　ちょうどその頃、アムステルダムのホテル・オークラで購入した朝日新聞を読んでいると文化欄に掲載された吉田秀和氏の評論「金のかかる芸とは」(一九九八年十月二二日)が目に留まった。よく「ヨーロッパでは芸術が生活の一部になっている」と聞くが、これまで私には実感がなかった。さらにナチスやゲシュタポですら音楽を愛したのだ、というようなことが言われるが、そんなことを言われても唐突な感じがして、何を言いたいのか、さっぱりわからなかった。しかしオランダにやって来て、何となくそれがわかるような気がしてきたのである。

　ランチコンサートの行われるコンセルトヘボウや市内にたくさんあるオペラハウスなど、芸術の殿堂は身近にあり、そこで芸術に触れ楽しむ術が、そして自らを高揚させる術が、彼らには身についている。日本にもそのような人たちはもちろん存在する。しかし圧倒的に違うのは自ら能動的に対象に接していく姿勢である。それは長い年月を経て様式化されてきたもので、完成された演奏のスタイルや観賞のスタイルとして確立されている。その会場であるオペラハウスもそうである。ここで言っておくべきは、それらが決してマンネリとはならないということである。

絵画などの視覚芸術にしてもそうだ。子供たちは学校の教育で美術館を訪問し、絵画の中にいろんなことを見出し、そして考えるヒントを教師にもらっている。周りに私たち一般の観賞者もいる訳で、そこで子供たちは芸術と対峙する雰囲気を掴んでいる。美術館もまた芸術の殿堂なのである。彼らはそうした場所で芸術と対話している。難解な芸術に出会ったときも、「ダメだ、さっぱりわからない」と放り出すのではなく、「一体これは何だ」と考える。そして自分の解釈を組み立てる。その作業こそが芸術を楽しむということなのだ。畢竟、芸術を楽しむとは、自分で考えること、つまり自分の言葉、そして表現を鍛えることだとわかってくるのだ。

吉田氏の評論は、日本にもそうした人々が存在しはじめたと思っていたが、どのくらい蓄積したのだろうかと問うている。そして「こういう人の存在は伝統の厚みを支えていて、経済の浮沈にもかなりの抵抗力をもっている。私は大戦後比較的早くヨーロッパに行ったので戦争ですっかり疲弊した社会層にもそれまで積み重ねてきた精神的価値がなお生きているのをたびたび見聞した」とある。戦争に負けた日本が、善し悪しに関わらず自らの精神的価値のすべて手放した（放棄した）ということが、ここには記されているのだ。

アルメーレ　フレーボラント

アムステルダムに到着して二日目、私は最初の失敗をした。それは観光客のための風車群で有名なザーンセスカンスへ向かった時である。

「十五時三八分発の列車に八番ホームから乗って下さい」と私はアムステルダム中央駅の切符売場で聞いた。駅は四番目、所要時間は約二十分と確認した。ところが列車は最初の駅になかなか到着しない。そこへいいタイミングで車掌がやって来た。切符を見るなり彼は「反対方向に来ています」と言ったのである。おまけにこの列車は急行で、二十キロ先のアルメーレ駅まで止まらないと言う。私が地図を見せると、目的地とは正反対の方向に位置するアルメーレを教えてくれたのだった。

　何故こんなことになってしまったのか。

「アムステルダム中央駅でザーンセスカンスまでと言ったら、この列車を教えてくれました」と言うと、車掌は天井を見上げて、何となく、判ったぞ、というように頷いた。そしてダイヤグラムが入力されたミニコンピューターを取り出した。

「次の駅で降りて、十六時五分発のアムステルダム行きで引き返して下さい。その時、検札されても大丈夫です。私が切符に裏書きしておきますから」と言って、切符に何やら書き込んでくれた上に、次のように言ってメモをくれた。

「アムステルダム中央駅まで行って乗り換えです。今からだと十六時三八分のザーンセスカンス行きには間に合いますから」

そしてメモを指差すと「ホームは8のaだから」と二度、念を押したのだった。

その車掌は名探偵ポワロによく似た人で、窓の外を愛しむように眺めると、列車に乗り損ねて動揺している私の肩を叩きながら「今、走っているところは三十年前までは海でした。右も左も見えるところ全てです。われわれオランダ人が創った大地です」とにこやかに教えてくれたのだった。気を使っていただいて、すみませんというように私は頷いた。ただポワロ氏が私に教えてくれたことは、オランダ訪問前から本で読んで知っていた。そして滞在中、私は幾度となく、この話を拝聴することになるのである。

外国からの観光客があまりやって来ないような小さな町で、役場や排水場の場所を尋ねたときには、道順を教えてくれた後に必ずこういう会話がはじまった。

「仕事ですか、それとも旅行ですか」

「仕事です」

「どちらからですか」

「日本からです、私は市役所の職員で都市計画に関心があり、今アムステルダムに滞在しています」と自己紹介すると、「今、私たちが立っているところは、昔は海でした」あるいは「湿地帯でした」、「沼地でした」、「それをわれわれオランダ人が大地に創り上げたのです」という具合に教えてくれるのである。

ポワロ氏のように列車の中で検札に来た車掌からも、バスに乗り込み運転手に行き先を告げ「バス停を教えて下さい」と言って運転席の横に座ったときも、同じように会話ははじまったのだった。オランダには「地球は神が創ったがオランダはオランダ人が創った」という諺がある。お国自慢は何処も同じである。とはいうものの、オランダの場合はちょっと違うのである。

ポワロ氏が、三十年前までは……と言ったのは、フレーボラント州においてのことであった。フレーボラント州は州自体が人工の島で、九万七千ヘクタールもの面積がある。そして私がU・ターンした駅アルメーレは、フレーボラント州の州都で、私は後に市役所を訪問することになる。

オランダには、このように大きな干拓地がいくつもある。そして干拓事業は現在も進行中である。モーリス・ブロール氏の著書『オランダ史』（一九九四年・白水社文庫クセジュ）の訳者である西村六郎氏は「あとがき」で、『『九州よりやや小さい国』と教わって赴任してみると『九州よりやや大きな国』に変わっていたのは、今世紀に入ってからのアイセル湖の相次ぐ埋立て計画の完成がもたらした変化であった」と記しておられるが、この干拓事業のスケールの大きさをよくイメージさせるように思われる。

フレーボラントはアイセル湖に浮ぶ人工の島であり、アイセル湖は一九三二年に北海とゾイデル海を三十二キロメートルにわたって締め切った大堤防によってできた湖である。つまりゾイデル海がアイセル湖と名前を変えた訳だ。淡水化したアイセル湖には南北のフレーボラントを含めて四つの大干拓地があり、計画の完成により合計十六万四千ヘクタールの土地が創り出されている。これらの干拓地は、もちろんすべてポルダーである。

折り返しの列車の中で私は、何故列車を間違えたのか、ずっと考えていた。しかしアムステルダム中央駅に到着すると疑問はすぐに解消した。アムステルダム中央駅には一番から十五番までホームがあり、長いホームを中央で分けているのである。駅舎から向かって左側（ベルギー・フランス方面）がａホーム、右側（ドイツ方面）がｂホームとなっているのだった。

私はそんなこととは露知らず、８ｂホームから列車に乗ってしまったのだ。ポワロ氏の納得の表情にも合点がいった。少し気分が楽になった私であった。

道案内

いろんな場所、例えばアムステルダム近郊の市役所や施設を訪問するとき、アポイントメントを入れた場合、私は最低三十分前、できれば一時間前に目的地に到着するように心掛けていた。電車を降りた後、目的地を確認し、レセプションで相手の部屋や所在を確認し、そして手洗いに行く余裕を持とうと思えば、不案内な上に、言葉の不自由な土地では当然の事である。レセプションから電話をかけてもらったとき、先方の時間が空いていて三十分早目に面接できたこともあったが、そうでなくともその間、近所の様子を楽しむことも可能である。こんな調子だから一日に一つの約束しかできなかったが、それでも私にとっては大きな達成であった。

駅から目的地までは、もちろん住所と地図を頼りに歩くのだが、最後は通りすがりの人や店員さんに尋ねる。やはり土地の人に聞くのが一番早い。アムステルダム滞在中、一体何度、私は道を尋ねただろうか。それは見当もつかないが、嫌な思いをしたことは一度もない。憶えてもいないし日記にも見当たらない。もちろん努めて丁寧に振舞ったつもりである。そして私の拙い言葉遣いが、彼らをより親切にさせたのではないかと思う。反対に道を尋ねられた経験もある。そのときは、相手に嫌な思いをさせていないと思う。私も一生懸命に、知っている限りのことを伝えたつもりである。

ホーレンドレヒト通りのアパートに住むようになって一カ月くらい経った十一月の初め頃から、道を尋ねられるようになった。二ヵ月の間におそらく十回近く、それも多分オランダ人らしい人から私は声をかけられた。何故彼らは、わざわざ黒い髪の東洋人に声をかけるのだろうか。その理由を考えてみる。

尋ねられた行き先は、中央駅やアムステル駅、それにコンセルトヘボウといった公共の建物がほとんどだった。また声をかけられたのは、自宅最寄りのファン・ウース・ストリート電停で路面電車を下車した後や、アルバートハインで買物をした後に、通りを歩いているときが多かった。アルバートハインはオランダ最大手のスーパーマーケットチェーンで、白地にライトブルーとライトグリーンで頭文字のaとhをあしらったショッピングバッグがトレードマークである。

「水の都・熊本」出身の私は、水道水を食事に用いることをせずにミネラルウォーターを利用していた。従ってアルバートハインに行くときは、二リットル入りのペットボトルを二本購入するのが常だった。ということは、私はスーパーの買物袋を抱えている訳で、住民だと思われたのに違いない。確かに私は三カ月間アムステルダムの住民であった。私だって、ガイドブックを手にしたバックパッカーに道を尋ねようとは思わない。

しかしわざわざ東洋人に声をかけるのは何故なのか。オランダ人らしき人も大勢往来しているのである。元来国際都市である上に、植民地だったインドネシアからの人々や、近年では社会主義の崩壊による東側からのなだれ込みなどによって人種の坩堝となっているこの国では、そのようなことには、あまりこだわらないのかも知れない。また彼らは必ず英語で話しかけてきた。私が滞在した三カ月間に、一体何人と会話をしたのか思いもよらないが、オランダ語で話しかけてきた人は皆無だった。私から話しかけることも当然あるが、英語が通じなかったのはたったの一度だけ、それもアムステルダムの東方二十キロに位置するナールデンという小さな町で、雑貨屋の御主人と会話したときだけである。

いろいろなガイドブックを読めば、オランダは他のヨーロッパ諸国に較べてインターナショナルでオープンな国であり、人種問題にも関心が高く、差別をなくそうという機運も強い。英語およびドイツ語で会話できる人も多い……といった記述をよく見かける。

滞在中お世話になり通しだった中学時代の同級生、岩田薫さんも「英語でこと足りるので、長く居てもオランダ語はさっぱり覚えない」と言っていた。

また司馬遼太郎氏の著書『オランダ紀行』（一九九一年・朝日新聞社）には、「オランダ人が会合をしていて、途中から日本人（他のどの国民でもいいが）が加わると、ごく自然に英語にかわるという」という記述や、「この小さな面積（九州ほど）の国土で大きな効用を果たしてきた民族は、言語を衣類のように考えているらしい。ふだん着がオランダ語なら、外出着が英語だというふうにである」といった記述まであるのだが、正にその通りだと、検証することになった次第である。

因みに「ありがとう」は、オランダ語で「ダンキュー」という。ドイツ語に英語を接いだだけではないか。冗談のようだが本当である。これならドイツ語も英語も話せるはずだと自分の語学力を棚に上げて、そう思ったことだった。

また『オランダ紀行』には、先ほど触れたナールデンについて、美しい町の形が丁寧に紹介されているので申し添えておきたい。

運河の散歩

アムステルダムにやって来て三週間後の十月十八日、日曜日。前日、ドイツへの出張から夜遅く帰った私は、昼前に起床した。秋晴れで信じられぬほどの好天であった。アパートの南側の窓の中に、一際高く聳えているアムステルダムのホテル・オークラが、いつになく輪郭を強調するかのように、くっきりと浮び上がって見えていた。今日はオークラまで歩いて行ってみようと気分まかせで決めた。日本の日常生活ではほとんどないことだが、散歩に出ることにしたのである。

オークラまでは歩いて約二十分の距離である。私のアパートからは、市内の運河の中で一番大きなアムステル運河に沿って、ひたすら真っ直ぐ歩くだけである。しかし運河沿いの眺めは素晴らしく飽きることはない。途中、運河に架かっている歩行者専用の木橋がある度に、それを渡って運河の両岸を交互に歩いて行く。散歩の醍醐味であろう。橋の真中にやって来ると、真っ直ぐな運河は、どこまでも見通すことができ、アムステルダムの名物であるボートハウスも散見され、四人乗りや二人乗りの競技用ボートが練習に来ているのも見かける。艇庫はアムステル川と運河の交差点にある。アムステル川を運航する大きな船舶の往来を避けて、彼らはこちらにやって来るのだろう。そして幅が広く真っ直ぐな運河は、差し詰めボートの高速道路といったところである。岸や橋の上から彼らに手を振ると、笑顔で応えてくれる。こちらがカメラを構えると、オールから片手を離して全員で手を挙げてポーズをとってくれることもあるのだが、ボートはかなりの速さで進んでいて、彼らの表情も捉えようとズーム・アップしたファインダーの中にうまく捉えるのは難しかった。

また時には運河から離れて、街並みに入り込んだりもした。百二十年前、アムステル運河の辺りはまだ湿地帯であった。それが人口の増加に伴い、アムステルダム市を旧市壁の外へと拡大する都市計画の下で、住宅地として造成されたのである。そして一九二〇年代から三〇年代にかけて、後にアムステルダム派と呼ばれる建築様式のアパートが、運河とそれに交差する街路によって区画された土地の上に、ずらりと建設されたのである。

アムステルダム派の特徴は、集合住宅のエクステリアにレンガとタイルを用い、それらの材料によって細部に曲面を組み込んだりしてデザインを構成するというもので、オランダ式のアール・デコといってよい。また高さを五階建と決められていることからもわかる通り、地区全体を一つのまとまりと見る総合計画の下、素材や高さといった様々な縛りが存在する中にあって、均一化に陥らず多彩さを競い合い、それを楽しむことによってアムステルダム派は開花したのである。

整然と並ぶこれらの建築群は、地区自体を建築博物館にしていると言ってもよいほどだ。裏通りへ入って、もう少し、あるいは次の四辻まで、と思って歩いてみても、やはり次から次へと多彩な建築と広場が交互に現れ、いったいどこまで歩けばよいのか、という気分になってくる。飽きないのである。

このように寄り道しながらの散策で、オークラに到着するには一時間余りを要した。

オークラの地下にある書店には、日本語の書籍が豊富に揃っている。週刊誌なども手に入るのだが、その中に日本経済新聞や朝日新聞も置いてある。値段は五百円ほど。日曜日で読書欄も読めるからと、私は朝日の朝刊を購入した。

帰り道、自宅最寄りのファン・ウース・ストリート電停横の、ナイトショップと呼ばれるお店で、おやつにピザトーストとビールを購入した。

オランダに限らずヨーロッパでは、ほとんどの商店は午後六時くらいで閉店するので、夜に開いているのは飲食店だけになるのだが、このナイトショップは午後から店を開けて、夜十時くらいまで営業している。言ってみれば時間を棲み分けている訳だ。日曜日は大抵の店は閉まっているが、ナイトショップだけは午後から三時間くらい店を開けてくれる。私にとっては便利な店であった。私が通うそのお店は家族経営で、手作りの料理なども並んでいる感じのよい店だった。支払いの際に、「今日の夜はやってないわよ」とおかみさんが教えてくれた。「日曜日ですからね」と私が言うと、「そう、そう」と言って微笑んでくれた。

店を出て運河のほとりのベンチに腰掛けると、暖めてもらったばかりのピザを包みから取り出した。すると周りに二羽、三羽とハトが寄って来た。気になって眺めていると、これが面白い。お裾分けは当然といった様子で、ゆったりと構えるもの。くれるのか、くれないのか、とそわそわするもの。また私は単なる通りすがりですといった雰囲気を演じるものまでいる。けれども私が、一切れといわず、ほんの一粒でも落とそうものなら、すぐに飛び付いてやろうという魂胆が見え見えなのである。観察している間にハトは十羽を越えていた。

仕方ない、お裾分けである。私がパンの角の部分を粒状に砕いてばら撒くと、彼らは一目散に飛び付いた。その様子が面白かったので二度三度と私はパンをばら撒いた。やがて私は「そんなに美味しいかい。でも今日は私もおなかが空いているからこれでおしまいだよ。また今度ね」などと、知らぬうちに彼らに話しかけていた。しかし彼らは食べることに必死で、私の話など聞いてはいないのだった。そして食べ物がなくなると、顔をこちらへ向けて「もう終りか」というような目付きで私を見るのである。仕方ないのでもう一掴みということになり、その繰り返しで私はあまり食べた気がしなかった。新聞を読みながらと思っていたのに彼らと遊んだお陰で、それもできなかった。帰宅すると私はすぐに新聞を拡げた。読書欄を捲ると渡辺京二先生の新著『逝きし世の面影』（一九九八年・葦書房）が松山巖氏によって書評されていた。松山氏は、先生の御本にとても感動したこと、そして続刊の発表が今から待ち遠しいことなど記しておられて、余計に嬉しかった。そして仕舞には、この日の新聞購入がどうしても偶然とは思えなくなり、虫の知らせだ、神様の御引合せだと、一人興奮したのを思い出す。その夜、高揚した気分のまま、私は先生に手紙を書いた。

アパートからファン・ウース・ストリート電停までは、やはりアムステルダム運河に沿って歩いていくのだが、あのハトとの出会いの後、それまでは秋になって急速に色や姿を変えていく街路樹や通行人ばかりに目が行っていたのだが、彼らのことも気になるようになった。よく見ていると水辺には、ハトだけではなくユリカモメやマガモそれにカイツムリもやって来ていた。邪魔する者のいない運河の上を自由に泳いだり飛んだりしている鳥たちの動きを見ているのは本当に楽しい。

水辺に目をやると、紙袋を抱えた小さな女の子が食事の残りのパンを撒いているのをよく見かけた。なるほど、これは合理的だと思った私は、早速真似することにした。日が経って硬くなってしまったパンは、それまでゴミ箱に捨てていたのだが、それを鳥たちに与えればゴミも減るし、散歩も楽しくなって一石二鳥というものだ。そして日曜の午後、散歩に出て鳥たちとお話するのが私の密かな楽しみとなった。慣れてくると鳥たちは、私が撒かずとも大胆にも私の掌から直にパンを食べるようになった。鳥たちを不安にさせまいとして、私はかなり緊張してじっとしていた。そんなこちらの苦労も知らずに、彼らはパンを一心に啄んでいくのだった。

またある日、私がベンチに腰掛けたところ、いつものように彼らはやって来た。今日はパンを持ってないよと両手を開いて見せたのだが、彼らにはわからない。それどころか両手で餌を撒いたと勘違いして辺りを見回す始末である。そしてどこにもパンが落ちていないことを確認すると、顔を上げて私を見つめるのである。わからない奴らだなと思っていると、今度は責めるような目で私を見ている。いつもの恩を忘れたのか。私はいじわるをすることにした。私がじっとしている分にはパンが与えられないことを彼らは知っている。その間、彼らは何か落ちていないかと自分の足元を所在なげに見回している。しかしその本心は早くパンを撒いて欲しいとねだっているのである。そう簡単にいくものか。私はしばらく知らぬ振りをする。そして彼らが諦めかけた頃、ズボンのポケットに手を入れる。彼らは慌ててこちらを再注目することになる。そこで私は何も入っていないポケットからパンを取り出す振りをして地面にばら撒くのである。彼らは一目散に駆けて行く。しかしそこには何もない。どんなに捜しても何もないのである。何故だというように彼らの丸い目はさらに丸く大きく見開かれ、私へと向けられるのである。

彼らの視線に晒されながら私は、そのくらいのこともわからないのかと思いつつ、また自分をいやな奴だと思いながら、何度も首を横に振ってしまうのであったが、結局は、彼らの行動に笑ってしまうのだった。

こんな感じで彼らには随分と遊んでもらった。今もテレビなどでアムステルダムの運河の風景が紹介されていると、ついつい彼らの姿を探してしまう。そしてこの頃から、自分がアムスの町に慣れてきたことも同時に思い出すのである。

サマータイムの終わり　列車の中で

十月の第四週、夏時間が終わり後ろへ一時間スライドすると、日暮れは唐突と言ってよいほどに早くなる。街路樹のマロニエの大きな葉も夏時間が終わるのを待っていたかのように先を争って散りはじめた。街の雰囲気は秋を飛び越えて、いきなり初冬となった。深まり行く秋といった風情はアムステルダムにはないのだろうか、そう思うほど季節は劇的に変化した。夏時間の設定は電力の節約などの経済的な役目を言う前に、季節を明確に区切るという大きな役目があるのだと思われた。しかしその頃の私はといえば、季節も忘れてしまう程に、オランダ国内はもちろんヨーロッパ各国の諸都市を訪問していたのである。

アムステルダムからユーロシティー（国際特急列車）でドイツ方面へ向うとき、車内アナウンスはオランダ語ドイツ語そして英語で行われる。フランス方面へ向うときはオランダ語フランス語そして英語である。車内ではそれらの言語が入り乱れている。車掌はこれらの言語を巧みに操って業務をこなしてゆく。私のような東洋系の顔には、「英語ですか、それともオランダ語ですか?」と英語で尋ねてくれる。

あるとき、車内に母親と三人の子どもの黒人親子が乗車していて子供たちは本当にうるさかった。何とかならないものかと思うほどだったが、他の乗客も子供だからと思っているのか黙っている。そこへ車掌がやって来て、検札するなり「オランダ語ですか、英語ですか?」とやりはじめた。彼女が「英語で」と言ったので聞いていると、セカンドクラスの切符でファーストクラスに乗っているらしい。「すぐにこの車両を出て下さい」と言っている。彼女たちは、故意にファーストに乗車しているようだった。母親は、「駅員がこの車両でいいと言ったのよ」と喚きながら、車掌に追われるようにして出て行った。彼女たちがいなくなり車内は静かになった。これが日本であったら反動で彼女を揶揄するような言葉が湧き出して、逆にざわざわするのではないか。国際線の車内には言語も文化も異にする人々が乗り合わせている。沈黙は礼儀なのである。

その後も車掌はせっせと検札を進めていき、たまに乗り換えの質問などがあるとポケットから時刻表など取り出して確認し、必要であればメモを渡したりしている。やがて私の番になり、「英語でお願いします」と言うと、たどたどしい私の発音に微笑んで、「どちらからですか?」と尋ねてくれた。「日本人です。今はアムステルダムにいます」と答えると、ウインクして「こんにちは、トーキョー!」と日本語で決められた。

国際列車には様々な人が乗車している。車掌の仕事は大変である。しかし彼らは実務の能力とユーモアのセンスそして仕事そのものを楽しむといった感じで乗客に接しているのだった。

ケルンの大聖堂を見物した帰りにはこんなこともあった。私はユトレヒトで列車を乗り換えようとしていた。私が乗っていたのはユーロシティーと呼ばれる国際特急列車で、ユトレヒトの次はアムステルダム中央駅に停車するのだが、私の最寄り駅はその手前のアムステル駅であり、ユトレヒトからインターシティー（急行）に乗り換えるとアムステルダムまで行って引き返す必要はなくなり時間も節約できるからである。都心の私鉄を利用する人がよく使う手である。下車する前に車掌にその旨伝えると、プラットホームは五番だという。遅れ気味だったので列車を飛び下りて、五番ホームに駆け込み、目的の列車に飛び乗った。うまくいったと思っていたら、いつまでたっても列車はアムステルに到着しない。列車がチーズで有名なハウダ（ゴーダ）に到着したとき、間違いを教えられたことにやっと気がついた。

引き返す列車に乗ると今度は寒くて息が真っ白になった。いくつ目かの駅で車掌が乗り込んで来た。そして「この車両は暖房が故障しています」と説明した。私たちだけがファーストクラスのコンパートメントにいた。早速車両を移ろうとしたが、われわれの車両は貨物車を挟んで他の客車と連結していた。しかも列車は既に動き出していたのである。「次の駅で移動して下さい。御案内します」と車掌は言った。踏んだり蹴ったりとはこのことである。次の駅は異常なほど遠かったような気がした。向かい合って座った車掌にことの顛末を伝えると、「それはいけませんね、でもオランダ旅行ができてよかったではありませんか」と言ってウインクされた。彼にしてみればそうでも答えるしかなかっただろう。ユーモアのセンスは大事である。但し十一月の夜中の移動で、旅行といっても明り以外は何も見えなかったのである。そして次の駅に着いた時、彼はこう言ったのである。

「外の方が暖かい」。

南へ北へ　ハーデスレブ　ロンドン　バーゼル

夜行列車に乗って訪問したデンマーク、ユトランド半島南部の小さな町ハーデスレブの道端ではこんな体験をした。

その日、私はホームステイ先からの迎えを断って、散策しながら帰路についていた。夕暮れになったので、少し急ごうと近道をしたつもりだったが、それが問違いの元で方角を失ってしまった。地図を開いて近くの景色と重ね合わせようとするのだがうまくいかない。私は道に迷ってしまったのである。地図を逆さにして眺めたり、中学生の時に覚えた、「途方に暮れて」という意味の「at a loss」という英語を呟やいたりしていると、私の前を猛スピードで通り過ぎた車がタイヤを軋らせて急停車した。そう思う間もなく今度はそのまま猛スピードでバックして来て私の横に停車した。窓から顔を出したのは黒縁メガネをかけた、ふっくらとした中年男性だった。やや緊張した面持ちで、「ハウ　キャン　アイ　ヘルプ　ユー?」とやさしく声をかけてくれた。私は嬉しかった。ステイ先を印した地図を見せると、丁寧にルートを教えてくれた。そして彼は、「私はあなたを知っていますよ」と言って笑ったのである。日本人が町を訪問したことが新聞記事になるような町で、その日本人が道に迷っているのを彼は目撃したのだから。

私が帰宅するとホストファミリーは私が迷子になったことを知っていた。先程の男性から電話連絡が入ったのかと思いきや、近所の人が、その様子を見ていたのだった。ホストファミリーにとってもこれは、ちょっとした事件であった。しかしこの事件のおかげでその日の夕食は、御馳走と共に、大いに盛り上がったのだった。

「車が停まってくれなかったらどうするつもりだったのか」

「警察に行くべきだったでしょうか」

「警察の場所を知っていたのか」

「知りません」

「私の方が警察に行く必要があったのじゃないか……」

とまあ、愉快なご主人とこんな感じで話をしたのだった。

アムステルダムからロンドンまでは飛行機で一時間ほど。建築家として、またウィリアム・ホガースの絵画コレクションで有名なジョン・ソーン・ミュージアムを訪問すべく、最寄り駅である地下鉄ホルボーン駅近くの雑踏の中、壁にもたれて地図とにらめっこをしていると、「どちらを、お探しですか」と鳥打帽の中年男性に声をかけられた。判ると、目的地は目と鼻の先だったが、助かった。「ありがとうございました」と言って頭を下げる私に彼は右の掌を差し出したのである。私は一瞬その意味がわからなかった。何しろ生まれて初めての経験である。しかしその意味が理解できると反射的にコインをポケットから取り出して彼に渡していた。と言うより渡してしまったと言うべきか。それは一ポンドコインであった。今度は彼が鳥打帽を脱いで深々と頭を下げたのだった。私は何といってよいのかわからず、苦笑いして足早にその場を立ち去った。やられたという感じではない。思いもよらぬ報酬に態度を一変した彼が可笑しかったのだし、慌てて一ポンドを渡した自分も可笑しかったのだ。

国際特急列車マイト・ローパ号に乗って、エラスムスやニーチェといった思想の巨人たちゆかりの土地、スイスのバーゼルへ。駅に到着すると両替所に直行。窓口で一万円札を差し出すと、「どの通貨に両替しますか?」と尋ねられて面食らった。国境の町バーゼルではスイス・フラン、フランス・フラン、ドイツ・マルクという選択肢があるのだった。目を丸くする私に、窓口の女性は、あなた、あまり慣れてないわね、というように口を噤んだまま笑っていた。私はスイスへ到着したつもりである。スイス・フランに両替して駅を出る。宿泊先までの道程を通りがかりの女性に尋ねていると、丁度そこへ御主人が車で迎えにやって来て、ついでだから送ってくれると言う。私は甘えることにした。

ロングヘアーに無精髭、そして咥えタバコというロックミュージシャンのような出で立ちの御主人に、私は日本人だと自己紹介すると、「あなたもクリストのツリーを見に来たのかい」と尋ねられた。

「クリスマスツリーですか、そんなに有名なツリーがあるのですか？」

「ちがう、ちがう、アートだ。世界的に有名なクリストが木を布でカバーしたんだ」

あのクリストがバーゼルでも例の梱包をやっているのだった。

「私は彼の作品を見に来たのではありません」

「だったらチャンスだから見ていけばいいじゃないか」

「私は彼の作品は知っていますが、好きではありませんし、見たいとも思いません」と、思い切って自分の気持ちを伝えると、「そうかい、私はてっきり物好きな日本人がクリストを見るために、こんな田舎までやって来たのかと思ったよ」と言って彼は大笑いした。

「私は芸術が好きですが、あれが芸術だとは思えません。私がバーゼルで鑑賞したいのはハンス・ホルバインやハンス・バルドゥング・グリーンの絵画、それに教会の死の舞踏の壁画です」

「それはよかった、彼は芸術家というよりビジネスマンという感じがするね」

「彼はお金を集めるのが上手なのだと思います」

「そうそう、彼はイベント屋で人を集めるのも上手い」

といった感じで、すっかり打ち解けてしまった。

クリストについては、呉智英氏がその著書『サルの正義』（一九九三年・双葉社）の中で、鋭い論評を行っているので、それを紹介したいと思ったが、私の英語の能力では、どうにもならないことだった。それでも、このときばかりはクリストを知っていてよかったと思った。作品は好きではないけれど、彼のおかげで話ができたのだから。

御主人は通り道沿いにあったマリオ・ボッタが設計したスイス銀行ビルも紹介してくれた。

「あなたは随分と芸術や建築に詳しいですね、あなたは芸術家ですかそれとも建築家なのですか？」

「ちがう、ちがう、新聞で読んだだけだ」と言ってまた大笑いである。

乗せてもらった車がホンダ・プレリュードだったので「日本車です、私の義弟はホンダに勤めています」と言うと、「今度、買うときはよろしくたのむよ」と言ってまた大笑いである。

丘の上からライン河沿いまで一度降りたのだが、道を間違えていた。しかし彼はまた丘の上まで登り、別の坂を下って目的地のバーゼル・ユースホステルまで私を送り届けてくれたのである。到着した時は、そのまま一緒にビールでも飲みたい気分だった。

旅行中はいつも携行している熊本の絵葉書をお礼に渡し、名刺を差し出すと、

「日本に行く時は電話するから」と言ってまた大笑いしてくれた。

「あなたがたに巡り会えて本当に幸運でした」と言って、お別れした。旅の醍醐味として嬉しい思い出である。

姉妹都市ハイデルベルク訪問――バーバラ・ガイスラー嬢との再会

ハイデルベルク市を一泊二日で訪問した。アムステルダム中央駅から出発し、一回乗り換えて約六時間で到着する。

アムステルダムから特急の最初の停車駅ユトレヒトに向かう途中、水面と地面の高さが逆転している運河としばらく並走した。運河はアムステルダムとライン河を結ぶ水上輸送路であり、二千トン級の船が航行できるという。石炭などを積んだ運搬船を頻繁に見かける。こうした逆転の風景に馴染みのない私は一種異様な気分に襲われる。ポルダーにしてもそうである。内側から見れば堤で周囲を城壁のように閉ざされ、その堤の頂に登れば水はすぐそこまできている。安全だと言われても安心はできないのである。こうした光景は至るところで見ることができる。また高速道路が突然下降してほんの二十メートルほどのトンネルを通ったと思えば、その上は運河であったりする。船が輸送交通の大きな手段であるためだ。

そのようなオランダの風土からやや丘陵の風景になってくるとドイツ入りである。通過したケルン駅では、持参した鯖田豊之氏の『都市はいかにしてつくられたか』（一九八八年・朝日選書）の記述通り、駅が近づくと乗客はザワザワしはじめた。大聖堂は駅に隣接しており、車内からも見ることができるからだ。しかし車内から、その巨大な全貌を見ることはできない。

コブレンツからマインツまではライン河沿いの景勝地。ローレライの岩や有名なプファルツ城などの古城、そして丘一面に広がったブドウ畑などを眺めていると時間の経つのは早かった。マンハイムで乗り換えると目的地はもうすぐそこである。

ハイデルベルク駅に到着し、まずドイツ・マルクに両替。窓口の周りに人気はなく、私の後ろに並ぶ人もいなかったので、「日本の姉妹都市から来ました」というと彼女は「クマモト」とは言わずに「トーキョー、コンニチハ、アリガトウ」と立て続けに言ったのである。私が「クマモト」と言うと、そんなことはどうでもよいといった様子で「ハイデルベルグを楽しんで」と言うと一万円分のドイツ・マルクの入ったターンテーブルを私の方へ回転させた。これでおしまい、というように。熊本は姉妹都市ではないか。両替所とはいえ、ここは町の玄関といってもよい場所ではないか。しかし彼女は熊本を知らなかったのである。これは効いた。というのは、私が熊本市役所国際交流課に勤務していたからである。それに加えて以前ロータリークラブの留学奨学生同窓会で、同じようなことをある医師から聞いたことがあったからである。私は彼からこう尋ねられたのである。

「ミュンヘンに留学していたとき、姉妹都市だからとハイデルベルクへ観光に行ってみたのですが、話しかけた相手は誰も熊本のことを知りませんでした。姉妹都市というのは、いったいどのような交流をしているのですか？」

そのとき、熊本放送（ＲＫＫ）のニュースキャスターである福島絵美さんが、熊本県と姉妹提携しているアメリカのモンタナ州へ留学したときのことを語られた。貿易摩擦でジャパンバッシングが加熱しているときも、モンタナでは熊本に対してだけはそれがなかったこと、それどころか熊本との信頼関係が強くアピールされたこと、そしてその後、駐日事務所を熊本に移したことなどである。その時、私には、モンタナでは東京よりも熊本が日本のイメージを代表していると言ってもいいようにも思えたのだった。その光景がありありと甦ってきたのである。

さて、私がハイデルベルクを訪問したのは一九九八年十月十六日。市長選挙を二日後に控えた町には、懐かしいヴェーバー市長の選挙ポスターも見かけた。

元・熊本市国際交流員でハイデルベルク大学出身のバーバラ・ガイスラー嬢と市役所前で待ち合わせしていた。待っている間に「アンケートに答えていただけませんか？」と英語で話しかけられ、「日本人ですが……」と答えると、「ハイデルベルクの観光について調査しているので、その方が好都合です。私たちはハイデルベルク大学の学生ですが、スウェーデン人です」と彼らは笑った。それを聞いた私は迂闊にも「スウェーデンには二度、行ったことがあります」と言ってしまい、唐突に昔から知り合いだったような雰囲気になって、アンケートに答えることになってしまった。しかしこのノリが私は嫌いではないのである。バーバラさんとの約束の時間が迫っていて「友人と待ち合わせしているので、それまで」と一応言っておいたが、とうとうすべての質問に答えてしまった。解放され腕時計を見て一息吐いていると、笑いながら私を見ている可愛い女性に気がついた。バーバラさんだった。

「なんだ、居たのなら見ていないで助け舟を出してくださいよ」と歩み寄ると、「いいえ、ハイデルベルク大学の学生には協力してあげて下さい。私の後輩たちですから」と彼女は笑った。懐かしさが一気に込み上げる。これは日本語の会話である。

挨拶も済んで、六時間の旅があっという間であったと伝えると、「その方法を教えてください」と言われた。

「自分の国ではダメです」

私が言いたかったのは、違った風土に入り込めば、それだけ新鮮さと興味を持って景色を眺めることができるということである。バーバラさんも日本で列車に乗ったときは、時間が経つのが早かったという。ここで考えるべきは、自分の暮らす土地をそのような新鮮な目で見ることができないか、ということである。

駅での出来事を伝えると、「私も国際交流員になるまでは熊本を知りませんでした」と笑われてしまった。「しかし旅行客を迎える駅で姉妹都市からの来客に対してそれはないでしょう」と言うと、「日本とは違いますから」と今度はウインクされてしまった。

さて、最高のガイドを得て早速、観光名所のハイデルベルク城に登って行く。ヨーロッパの都市は、このハイデルベルクもそうだが、河川の片側に城壁を廻らせて形成されることが多い。途中通過して来たケルンもそうである。城の展望台から眺める街の風景は圧巻で、旧市街は城のあるネッカー川左岸に形成されているが、右岸は川岸まで山が迫っていて、山の斜面に点在しているヴィラは宝石のような美しさである。この旧市街の赤い街並みと、川を挟んだ緑の中のヴィラとのコントラストが絶妙なのである。また、その眺めは時間とともに陽の当たり方が変わり、思いもかけない美しさを見せてくれる。山の中腹にある城からの眺めは本当に素晴らしかった。

熊本市内の話になり、「上通り」が新装オープンし、天井が高くなり木製の床になったと報告すると、「ベンチは？」と尋ねられた。「ありません」と言って私たちは笑い合った。それは私たちが同じ気分だったからだ。私たちが歩いている城内の歩道には、ベンチが其処彼処にほどよく並べられていて、老若を問わずカップルが寄り添って仲良く腰掛けている。「歳をとっても仲良く二人で歩いているのは素敵ですね」と私が感想を述べると、「そうでしょう。熊本も是非そうしてください」と言われた。ベンチは大事である。立派なものが必要である。歩いている人たちが、ちょっと休憩しようというときに、座りたくなるようなものでなければならない。ハイデルベルクに限らず、ヨーロッパでは実に巧みにベンチが配置されている。

相変わらずの素晴らしい眺めに、都市景観の話になった。ハイデルベルクは街を完全に二つに分けることができる。旧市街と新市街である。旧市街とは先の大戦で焼失を免れた部分を指す。そして景観条例を策定して市街地を守っている。看板の大きさなど、うるさい規則があるそうで、ときには市民から苦情もあるそうだ。商売をする側から言えば、大きくて派手な看板の方が目立って良いに決まっている。しかしそれでも断固としてやっているという。家自体を重要文化財に指定して変化を許さないこともある。そうした規則がうまく機能しているのは、古いものに価値を認める道徳観と芸術観、この場合は美意識と言うべきだろうか。とにかくそうしたものが市民の間に共通感覚として、きちんと根を張っているからである。

またハイデルベルク城の中には、世界最大のワイン樽がある。大航海時代の戦艦並みの大きさだ。何故これほどまでに巨大な樽を作る必要があったのかというのが率直な感想だ。薬の博物館もあった。しかしハイデルベルグ城の最大の特徴は、やはり建築自体そしてロケーションの素晴らしさであると私は言いたい。

城から下りて、学生時代にバーバラさんが通っていたというカフェへ。常連席や教授たちの専用席などがある。もちろん店の規則ではなく、長年の風習というのか、ハイデルベルグ大学御用達のこの店の客側の勝手な不文律である。このカフェの創業年は知らないが、ハイデルベルグ大学の開学は一三八六年である。バーバラさんは遠くの席を見ながら「あの辺りは教授たちが座る席で、現役の頃、恐い先生など見かけたら、別の店に場所替えしていました」と肩をすくめた。カフェオレを注文する際は、「せっかくだからドイツ語で注文してみましょう」と言われ、生まれてはじめてのドイツ語会話も実践した。やはり地元の人が一緒だと見聞の広がり方がぜんぜん違う。これは日本でも同じである。物事すべてにしっかりとした現場の意味付けがなされるからだ。

旅との出会い

私が外国を旅行するようになったのは、三十歳を過ぎてからである。美術館やオペラハウスの訪問という目当てがあるのはもちろんだが、人との出会いも大きな楽しみの一つである。とはいっても私の会話の力は、どうにか旅が維持できる程度のものなので、ある事柄について難しい概念を用いて論じ合うことなどできはしない。それでも私は人との出会いが楽しみである。それはほんの一時の会話でも、心が通いあったと思える瞬間があるからだ。これは正確ではない。私が一方的にそう思っているだけかも知れないから。しかしそのような経験をすると、その街や国までが余計に好きになってしまう。そしてそう思える自分が幸せである。それがたとえ思い込みに過ぎないとしても。

何故そのように感じることができるのだろうか。それは日本で道を尋ねるのと違って不自由な言葉で会話するからだろうと思う。当然のことながら会話する時の緊張の密度がまるで違う。お互い、より正確に理解しよう、してもらおうと真剣になり、ある瞬間には全身を目にして、またある瞬間には全身を耳にして、相手の言わんとすることを見逃すまい、聞き逃すまいと構えるからである。一言も聞き漏らすまいとすれば、相手の目を凝視することになってしまう。そのとき、相手も同じようにこちらの目を見てくれていると気持ちが温かくなり安心する。私の言いたいことを理解しようとしてくれている姿勢を、相手の眼差しに感じることができるからだ。そこでは言葉の壁を破ってコミュニケーションが成立している。相手がこちらに真剣に向かい合ってくれていることが判れば、コミュニケーションは手段を選ばない。心は既に接点を作っているからである。

アルメーレ再訪

私があの大干拓地の州都アルメーレを再び訪問したのは、十一月の終りだった。その日は公共交通の路線整備と都市計画について、市役所の担当者とインタビューの約束をしていた。

いつもの通り、三十分前には到着しようと、アパートを出た。アムステル川の氾濫から旧市街を守るアムステルダイクへと出て、アムステル橋を渡り、最寄駅であるアムステル駅へと向かった。歩いて十分の距離である。これだけであれば、優雅な出勤ということになるのだが、気温は零下で、空気は冷たい。雪はあまり降らないが、風はとても強い。それでオランダでは風車が活躍するのではあるが。従って人々は、風を懐に入れまいとして、身を縮めるようにして駅への道を急ぐのである。これではたとえ知り合いと出会っても、そこで立ち話とはならない。また空を見上げれば、鉛色の雲が立ち込める北欧独特の冬の空である。そして夜明けは遅く、反対に日暮れはますます早くなってくる。気分も同様で、冬のように、ますます暗くなって行くのであった。

もう、すっかり慣れたアムステル駅に到着すると、「アルメーレ、リターン、セカンドクラス」と言って切符を購入した。寒さを凌ぐために浮浪者が住んでいるエレベータの利用は避けて、階段でホームへ上がり、アムステルダム中央駅直行のインターシティーに乗車した。中央駅で乗り換えである。今日は、最初から八bのプラットホームへと向かう。通勤途上の人の流れにも乗っていた。九時七分発の列車に乗ってアルメーレへ向かった。

車窓の風景を見ていると、当然のことながら二カ月前の失敗を思い出す。しかし今日は、またあのポアロ氏が検札に来てくれないだろうか、と思う余裕まである。我ながら随分と変わったものだと思う。

私の気持ちと同じように、窓の外の風景もすっかり変わっていた。全体が緑色だった大きく平坦な森は、完全に葉が落ちてしまって、今は紫色に煙っている。九月の末には深く青かった空も、灰色の雲が立ち込めている。雲の流れは速く、突然、裂け目ができて、レンブラント光線よろしく陽が射したかと思えば、さらに厚い雲がやって来て、視界を遮るほどの粉雪が舞いはじめる、という具合に、天候はめまぐるしく変化した。車窓に連続して現れる運河では、あちこちで凍結がはじまっていた。

市役所で私を迎えてくれたのは、交通計画担当のフィーラッストム氏。身長は二メートル近い。ショートヘアのスマートでハンリムな方。

アルメーレは、三十五年前までは海だった場所に、まったくの無から建設された都市である。従って、都市計画は、水、低地、ポルダーというオランダ特有の縛りを別にすれば、徹底的に自由に行えるということができる。人口は十二万人ほど。

「都市計画は好きなようにできる訳ですが、だからやりにくいといったことはないのでしょうか？何か問題はありませんか？」とインタビューをはじめると、「それは知りませんが、私の担当する交通について言えば、まずパブリックラインの整備、二番目が歩行者と自転車、最後に自家用車という考え方で路面整備を行います」との答え。噛み合っていない。しかし彼の話は興味深いものだった。

アルメーレ市内の公共交通機関はバスである。鉄道駅に連結したバスセンターが都市中央にあり、そこを結節点として二つの円を描くように8の字型の路線を組んでおり、環状の内回り線と外回り線が設定されていた。

沿線の住宅は、九十パーセントが四百メートル以内に、九十五パーセントが六百メートル以内にバス停を持つように初期設定される。そして自家用車よりも公共交通の方が絶対に速くなるように計画を組み上げてゆく。実験や計測から、利用客の乗降などを計算に入れると、バスは平均時速二十二キロで運行する。従って公共交通が住民の足となるには、自家用車のスピードをそれ以下にする必要があるとの課題が導き出される。そうでなければ誰もバスに乗ろうとはしないと考えられるからである。

バスは柵に囲まれた専用レーンを走り、何者にも邪魔されない。横断歩行者を心配する必要すらない。対照的に自家用車は一般道路に出るには必ずバスレーンを横切らなければならないが、そこには信号があり、バス優先となっている。それは徹底していて、信号の手前にバスがやって来ると、センサーが反応してバスレーンの信号が青になるようにプログラムされている。その他にも、住宅地ではジグザグの凸面道路やS字コースを通行しなければならず、時速二十キロ程度に押さえ込まれている。ここまでやらないと、公共交通への足は遠退くというのは経験から明らかだ、といった説明は、合理的で説得力があった。

実際に試乗したが、乗り心地は快適で、時間はかかっても、すいすいと進んでいく感じがとてもよかった。そして「パンクチュアル（時間通り）」ということが、如何に大切であるか、よくわかった。ダイヤは約十分間隔で組まれているが、オランダでは、バスや鉄道などすべての公共交通機関が毎定時制を用いている。例えば、七時七分、十七分、二七分……にバスが来るとすると、八時台も七分、十七分、二七分……にやって来る。他の時間帯も、昼間に二～三本間引く以外はすべて同じである。あと違うのは始発と終発の時間だけである。これも合理的である。

お話を伺ったアルメーレ市役所は、バスターミナルと駅が連結した交通センター前の歩行者専用の大通りを歩いた先に位置している。大通りの両サイドには大小様々な商業施設が並んでいて、市役所へ通じる門前町のようであった。

このように言挙げすれば、都市全体がどこまでも計画され機能一点張りの機械のような空間で、人間の匂いのしない街のように思われるかも知れない。しかし市役所がバス停の周りに数十戸単位で売りに出す住宅は、ちょうど中世の城壁都市のように点在し、ユニット毎にデザインされている。また、単調さを避けるべく住宅の形、壁の色、配置等に変化をつけたプランニングも行われている。さらに植樹したり、あるいはブールバード（並木大通り）を設けたり、道路に緩やかなカーブをつけたり、そしてこれは必要もあってそうしているのだが、運河の水辺を巧みに取り込んでいる。旧いった趣である。
市街と違って駐車スペースも十分で、ほとんどの家が車庫を設置しており、街全体が高級住宅街と

このように無からはじまった都市計画は、確かに自由に行える。しかし、その自由は放縦へと流れるのではなく、全体として見た場合には見事な調和を見せているし、個々の家を見れば多彩である。この素晴らしいコントラストは、教会を中心に形成された中世城壁都市以来のヨーロッパの都市計画の伝統であろう。こうした計画をそのまま我が町へ、ということはできないが、考えるヒントにはなるはずだ。

次に自転車。このアルメーレに限らず、オランダでは自転車専用のレーンが道路に組み込まれていて、高速で走ることができる。私は何の気なしに自転車レーンを歩いていて、ベルを鳴らされたことや怒られたこともあった。一カ月くらいで慣れたが、それほど自動車、自転車、歩行者の棲み分けは徹底しているし、交通マナーとして定着している。

私は自分の町、熊本の状況を説明した。

「人口六十五万人の熊本で、自転車はバスや自家用車と同じ道路の端を走っています」

すると彼は、笑いもせずにこう言ったのである。

「年間、事故はどのくらい起こるのですか、死者はどのくらい出るのですか?」

「それが直接の原因で起こる事故は、ほとんどありません」

「信じられない、信じられない」と彼は繰り返した。そして彼は不思議そうに、こう訊いたのである。

「何故、事故が起こらないのですか？」

私も信じられなかった。彼の反応が。都市交通に関する認識が、まったく違うのである。噛み合わないけれど、やはり興味深い会話だった。

お別れの時間になるとフィーラッストム氏は、「法律なども英語であれば読んでいただけると思いますが、オランダ語なので準備はしませんでした。でも大変興味深い話ができました。ありがとう」と言って微笑んでくれた。

彼の笑顔を見た私は、インタビューの間、彼がまったく笑わなかったので、私は非常に緊張していたことを伝えた。それは私の緊張が彼にも伝染したのと、仕事の話だったので、私の下手な英語を聞き取ろうと真剣に取り組んでくれていたからだとわかって安心した。そして嬉しかった。緊張の解けた私たちは握手してお別れした。

レリースタット

同じフレーボラント州のレリースタッド訪問の際は、日本についての会話の機会を得た。レリースタッドは、「レリーの都市」という意味で、名前の由来となったコロネルス・レリーは締め切り大堤防を計画した政治家である。大堤防の建設によって生まれたフレーボラント大干拓地の都市が名前をいただいたという訳である。

駅前のツーリストインフォメーションで、目的地のポルダーミュージアムの場所を尋ねると、「ここから無料の送迎バスが出ています」と教えてくれた。

送迎バスといっても、七～八人乗りのワゴンタイプの乗用車であったが、私は季節外れの訪問客らしく貸切りであった。助手席に座る。アンドレ・アガシ風の運転手は、船員として日本を訪問したことのある人で、話し相手になってくれた。というより、自分がいかに日本を気に入っているかを話してくれた。

「神戸牛の味は、いままで食べたステーキの中で最高だった」

「けれども、あの大地震（一九九五年の阪神淡路大震災）のときは、本当に心を痛めたよ、とても美しい街だったのに……」

「畳はたいへん居心地のよい素材で、とても気に入った。自分は座り辛いが、仲間が集まってお喋りする、あのスタイルはとてもいい」そして「伝統というものは本当によいものだ」といった話もしてくれた。

話を聞いて、谷崎潤一郎の『陰翳礼讃』を紹介したいと思ったが、私の英語の力では、どうにもならない。あっという間に、ポルダーミュージアムに到着した。

「ガスタービンエンジンのような形ですね」

建物を見て私が言うと、

「われわれはミルク缶と呼んでいます」と教えてくれた。

彼に教えられたゲートから入館すると、そこには日本人の団体がやって来ていた。スーツにウエストポーチの人たちだったので、私には関係のない人たちだったが、私も彼らにとっては関係のない人であった。

展示は、ポルダーの歴史にはじまり、ポルダー建設の諸段階を模型で示したものや本物の材料を用いて実物大のポルダーの断面を示したもの、あるいは護岸に棲み付く生物についての展示まで、ポルダーについてあらゆる角度からの展示を行っていた。日本語のパンフレットも整備されていて見学を助けてくれた。それでこのミュージアムでは、スタッフと話すこともなかったのである。

ファンヴァルサン氏のこと

十一月九日、月曜日、九時五五分アムステルダム駅発のインターシティーでハールレム市へ向った。日記を見ると、往復切符　十三・七五ギルダーと記している。現在なら八ユーロというところであろうか。二十五分でハールレム駅に到着。ガイドブックでは読んでいたものの駅舎はアール・デコの傑作であった。駅員室やプラットホーム中央のカフェなど素晴らしいと言う他ない。写真を数葉撮った後、早速カフェに立ち寄り、パンとコーヒーの軽い朝食を摂った。天井や照明なども素敵なデザインであった。カフェを出ると今度は駅構内の理髪店が目に留まった。アール・デコの極みといってよい内装であった。このような調子で、駅を後にするのに四十分以上もかかってしまった。

駅横の観光案内所へ向う。オランダの観光案内所はＶＶＶのマークが目印で「フェー・フェー・フェー」と発音する。カウンターで今日の目的地であるクルクイウス干拓博物館の場所を尋ねると、教えてくれたが、十月いっぱいで今年は終了し、次の開館は来年の五月であることも教えてくれた。

絶望した。如何しようもない。諦めて取り敢えず絵葉書を十枚購入した。しかし、やはり諦めきれない私は、休みでもいいから、とにかく行ってみよう、建物も美しいと聞いているので、見るだけでもと考え直して、案内所で教えてもらった一四〇番のバスに乗った。いつものパターンで、運転手に行き先を伝え、横か、真後ろの座席に座り、目的のバス停を教えてもらって降りる。三〜四分と聞いたように思ったが、随分と遠い。しかし途中の風景は美しかった。街の中心部から少し離れると高級住宅の手本のような家々の並ぶ通りを走り抜け、郊外へとバスは進み、運河と牧草地そして並木だけが見える辺りまでやって来た。どこまで行くのだろうと思っていると、運転手は私のために、めったに聞くことのないマイク放送を使って、しかも英語で「次の停留所はクルクイウス」とアナウンスしてくれた。

お礼を言って降車した後、バックミラーに映っている運転手を見ると、笑顔で右手を上げてくれたのだった。こんなとき、私は旅の幸せを感じる。目指すクルクイウス博物館は目の前にあった。アムステルダム国際空港のあるスキポールからハールレムにかけての大沼沢地をポルダーにするために十九世紀中葉から活躍したというポンプ場を博物館にしている。大低地地帯に屹立しているポンプ場は、オランダのプロテスタント教会と較べても何ら遜色無い見事な建築であった。写真を撮りながら、来てよかったとの思いを強くする。しかし感動に浸ってばかりもいられない。ここまで来たのだからと入口の方へ回ると、閉館の表示は出ているものの、中には明かりが点いており、人の気配もある。ガラス窓から中を覗き込んでみると、私に気付いた作業服の男性が外に出て来て、厳しい眼つきで私に言った。

「何か御用ですか？　休館ですが……」

「私は日本人の旅行者です。この博物館に興味があって……」

男性は閉館の看板を横目で見ながら再び言った。

「休館です」

「わかっています、駅の案内所でもそう言われました。それでも私は来たのです」

「それで……」

「私は市役所の電気技師で水行政に興味を持っている者です。こちらの博物館を是非見たくて、やって来たのです」

そう言うと、男性は態度を一変して、「私はボランティアでマシンの整備に来ているだけなので権限はないが、ボスに掛け合ってくるからちょっと待ってなさい」と私に言ったのである。

渡辺京二先生にしごかれながら読んだウォルター・ジャクソン・ヤングの著書『文字と声の文化』（一九九一年・藤原書店）を思い出し、笑いたいのを堪え、心の中でうきうきしながら待っていると、彼はすぐに戻って来た。

「少しの間ならオーケーだから、どうぞ中に入って下さい」と言うと、扉にぶら下がっている〝クローズド〟と書かれた看板を指差して「これはこのままだけどね」と笑いながら、彼は扉を開けてくれた。そして私が中に入るとこう言ったのである。

「私の英語はまずいけれど、説明してあげよう」

信じられないような申し出に、私は慌てて言った。

「私の方こそだめな英語ですが、お願いします」

面白かったのは、休館期間中であるにも拘わらず、入場料を請求されたことである。私はＭＪＫ（一年間、オランダ中の公立美術館や博物館をフリーパスできるカード）で入場できたが、もし現金を支払った場合は、会計はどのように行うのだろうと他人事ながら気になった。

それはともかくガイド付きの見学ツアーがはじまった。何という幸運か。そして彼は私が質問したり反応を示したりするほどに、詳しくかつ熱心に説明してくれたのだった。還暦は越えているように見えたが、おそらくリタイアしたエンジニアなのだろう。周りでは巨大なポンプのメンテナンスにやって来ている同僚数名が昼食を摂りながら私たちを見ていた。ボスと部下らしき女性も腕組みしてこちらを伺っている。公務員である私は、彼らの立場も気持ちも何となくわかるのだった。

思わぬ幸運に動揺した上に、最初は周りの視線も気になって落ち着くまでには少々時間が必要だったが、熱心な説明に耳を傾けていると、やがて集中することができた。ポルダーの水抜きシステムについては、展示模型を用いて説明され理解が進んだ。またポンプという機械自体の歴史については、蒸気機関とジェイムス・ワットにはじまり、石炭から石油へ原料を変え、エネルギー源が電気へと変遷する過程まで教えてくれた。彼は機械のエンジニアなのである。

イギリスの産業革命により発明された機械がオランダにも導入され、成果を上げたのであるが、初期のスチームエンジン型ポンプについて、「日本にもありました」と言うと、「一八五〇年より前か？」と尋ねられた。「その後だと思います」と言うと、「産業革命で生まれた機械だから、ずっと後のはずだ。この旧式の機械は大型化すると組み立てが大変だった。このポンプステーションのメインシリンダーの重量は八十六トンもあるが……」といった具合に説明が進んでゆく。こんな技術屋さんは市役所にはいない。自分の預かる機械自体はもちろん、その来歴についても知悉している。まるで子どものことに親が責任を持つのは当り前といった雰囲気である。

オランダの陸地が、何時どのようにして拡大していったのかを示す展示は、本来ならプールになっているそのモデルの本領を見ることはできなかったが、パネル展示などには電源を入れて、精一杯の説明をしてくれた。極め付けはメインのスチームエンジンを動かしてみせてくれたことである。この以前、見学したことのあるロンドンのタワーブリッジのスチームエンジンほどの大きさである。このシリンダーで六個のピストンを上下させる。ピストンの先には逆止弁の付いた巨大な鉄の桶が付いていていて、ポルダー内から次々と水を汲み出すのである。

「百五十年前の機械だけれども、もちろんまだ動くし、ちゃんと機能する。しかし現在は博物館の専用だ。でもこれを動かすために私はボランティアでここに来ているんだ」と丁寧な英語で教えてくれた。約一時間にわたって私に講義して下さったこの方はファンヴァルサンさんというお名前であった。私が現在、ビルメンテナンス業務に関わっていると言うと、ハーグ工科大学のビルメンテナンスのスペシャルコースの連絡先まで教えてくれた。「あそこは大資本のパトロンが支援していて、すごく充実している。きっと力になってくれる、必ず行くように。そして来年ここが動いている時にまたおいで」と言われた。私は再会を約束してお別れを述べ、彼は何度も私の方を振り返りながら、午後の仕事に戻って行った。

退館しようと出口へ向かうと、ミュージアムショップを見つけた。休館中だけれども何点か購入できないかと、例の腕組みのボスと女性に尋ねてみると、意外にも返事は「どうぞ」であった。「但し、休館中なのでキャッシュでお釣のいらぬように」と付け加えられた。少々慌てたが、何とか釣のないように支払いを済ませることができた。ここで『MAN-MADE LOWLANDS』という本を手に入れたのは何よりの収穫であった。

その後、すぐにファンヴァルサン氏に礼状を出すと、彼からの返事はクリスマスカードとなってアムステルダムのアパートに届いた。彼が工学博士で大学教授だったことや、博物館へは運転と整備の指導、そして見学者のガイドとして来ていたことも知った。手紙には他にも、私が礼状に添えた阿蘇山の絵はがきを見て、一九六五年に奥さんと二人で日本を訪問したことを思い出したこと、そして何よりもあの日、クルクイウス博物館で出会ったのは、われわれにとって本当に幸運だったことなどが書かれていた。そして「次のフロリアードの年にまた来なさい、私が案内してあげるから」と記されていた。フロリアードは十年に一度開催されるオランダ最大の花の博覧会である。次の開催は四年後の二〇〇二年であった。二〇〇二年は、またオランダ訪問だと、私は心に決めた。帰国後、私は何となくタイミングを失って、クルクイウス訪問の日に一緒に撮影した記念写真を次のクリスマスまで送らなかった。その間、妻から、何度となく「早く送らないと……」と言われていた。「何故、そんなに急ぐ必要があるの」と言うと、その都度、「何となくだけど、胸騒ぎがするの」と言う。「そんな縁起でもないこと言うなよ」というような会話は一度や二度ではなかった。けれども返事は返ってきた。ほら、見てみろ、何てことないじゃないかと思いながら、喜び勇んで封を開けると、手紙はファンヴァルサン氏自身ではなく、奥様からであった。こう記されていた。

一九九八年、クルクイウス博物館を案内した私の主人に、新年の挨拶を送って下さった辻さんへ。五月に主人が亡くなったことを申し上げなければなりません。脳腫瘍で寝たきりになって、わずか七週間でした。

あなたの送って下さった写真が私を再び悲しくさせました。と言うのは、写真は、主人が社会で実際にどのような活躍をしていたのかを教えてくれるポートレートだったからです。写真を送って下さって、本当に、本当にありがとう。

来るべき新年があなたにとってよい年でありますように。

一九九九年　十二月　ファンヴァルサン夫人

私はしばらく呆然としていた。ようやく気分も収まった頃、妻が帰宅した。

「ファンヴァルサン氏から手紙が届いたよ」

「そうですか、よかったですね」

「それがね……」

その後は言葉にならず、手紙を妻に渡した。もっと早く写真を送ればよかった。

フランス・ハルス美術館の思い出

ハールレムにはもう一つ思い出がある。フランス・ハルス美術館である。昔は施療院だった建築で、空から見ればロの字型をしていて真中に中庭がある。通行人に道を尋ねながら辿り着いた美術館は、大通りにも面しておらず、周りの建物に紛れて、注意していなければ間違いなく通り過ぎてしまうほどの質素な佇まいであった。エントランス横には、ぴかぴかに磨き上げられた白バイが十台ばかり駐車していて、隣は警察署なのだろうかと思いつつ入館した。

フランス・ハルスとは言うまでもなく、十七世紀の画家ハルス（一五八二～一六六六）のことである。彼がこの町の出身であったので、そう名付けられているだけで、本来ならハールレム美術館とでもいうべき十六世紀から十八世紀にかけてのハールレムを中心とするオランダ絵画の宝庫である。私の好みの絵画も数多くあったが、残念ながらよい図録がなかったので、そうした絵画のタイトルなど、今となってはわからない。

全部で三十室ほどの展示、それにレストランまである。展示の目玉はやはりハルスで、彼の描いた大画面の集団肖像画がコレクションされていた。またアムステルダムが世界の商業センターだった十七世紀中頃の悪名高きチューリップ・バブルを題材にした諷刺画も展示されていた。フェルメールなどのフランドル派の風俗画によく描かれる白黒の格子模様の床の、いかにもオランダらしい家具調度品の展示室もあった。しかし私が驚いたのは、第十六室を覗いたときである。ワインの入ったデカンタや、切り分ける前の大きなチーズ、あるいは籠に盛られた果物などが描かれた食卓の静物画、いわゆる〝ヴァニタス（虚無）〟をテーマとした絵画を壁じゅうに展示したその部屋には、桁外れといってよい勲章を首から懸けた中年の紳士を中心に人の輪ができていたのである。そればかりか中央の豪華なテーブルの上には、本物のワインやジュースなどの飲み物と、キャビアや色とりどりのパテやチーズを乗せたカナッペなどの御馳走がずらりと並んでいたのである。一体これは何か。どこぞの貴族が展示室を貸し切ってパーティーでもやっているのだろうか、などと思いつつ脇を通って次の部屋へと向った。その部屋にも関係者がたむろしていて、食事の追加等を準備する控えの間となっていた。第十六室の出入口にいた大柄な男、そしてこの部屋の蝶ネクタイの給仕たちの尋常ではない緊張振り、さらには入館時に見た美術館前の白バイなど、例の人物が一体誰なのか知りたくなってきた。それでも失礼は避けようと、私は美しい中庭に出て行った。すると、何だ、行けるのかと、私に釣られるようにしてスタッフ四名が出て来たのである。体操をしたりして緊張を解(ほぐ)している彼らに恐る恐る訊いてみた。

「失礼ですが、中にいらっしゃる方は随分と重要な方のようですね」

返ってきた答えはこうだった。

「クラウン・プリンス・オブ・ベルジャン」

慌てて「ベルギー王太子ですか」と鸚鵡返しに訊く私に、そのスタッフは「その通りです」と答えた。あの紳士はベルギーの王太子、フィリップ殿下なのだった。私は正直、驚いた。王室の一員をこんなに近くで見られるということ、そして警備のシンプルなこと。一般人への影響を最小限に留めている。私の入館の際も、受付の青年はセーターにジーンズという普通の服装だったし、こうした訪問の最中だから注意して下さい、などとは一言も言わなかった。しかし実際は大変な一日だった訳だ。

退館の際、受付に置かれていたサイン帳に王太子のサインを発見して、私はその下に、〝日本国辻　信太郎〟と漢字でサインした。これも日本では考えられぬことであろう。受付の青年に「大変な一日でしたね」と言うと、「そうですね、でも、もう終わりました」と緊張の解けた笑顔で応えてくれた。思いもよらない偶然に印象を強くしながらフランス・ハルス美術館、そしてハールレムの町を後にした。

帰り道

毎日の訪問が終わると、帰りの列車の中では緊張から解放されて、うとうとすることもあった。しかしアムステルダム中央駅が近づくと、目を覚まさざるを得ないのである。一つは乗り換えのため、もう一つは駅到着前の街の風景があまりに綺麗だからである。冬のアムステルダムの日暮れは早い。五時には中央駅に到着するようにスケジュールは立てるのだが、その時刻は既に夜である。

通常、大都市の駅近くでは建物が線路脇まで迫っていて、夜の到着では窓の明かりしか見えないものだが、アムスは違う。特に東側からアムステルダム中央駅に入るときは、両サイドに大きな運河があり、建物との間にスペースができていて遠くまで見通せる上に、中心部の建物はライトアップされている。それに街灯までもが加わり、水面に反射して無数の光となっている。それら光の大軍は水面に揺れ、それまで襲って来ていた眠気をどこかへ追い払ってくれるのであった。

海運会館ビル、また、現在はVOCカフェという名のレストランになっているが、昔は出港の際、別れを惜しむ場所であった「涙の塔」と呼ばれる灯台、そして大きなシント・ニコラス教会が見えてくると、やがてアムステルダム・セントラル（中央駅）である。

シント・ニコラスといえば、この聖人のお陰でオランダにはクリスマスが二回あるのだ。オランダではシンタクラースと呼ばれるこの聖人は、毎年十一月の中旬にスペインから船でやって来る。アムステルダムでもシント・ニコラス教会前の運河で上陸式が行われ、盛大なパレードが行われる。

シンタクラースの日は十二月六日であるが、その間、聖人は国中を歩き回る。子供たちは、プレゼントの前日の五日まで良い子にしていなければならない。そしてシンタクラースの日が終わると、今度は十二月二五日のクリスマスへと気持ちを切り替えてゆく。という訳で、十一月中旬からアムステルダムの町はクリスマス一色となってゆく。

アムステルダム中央駅からアパートまでは、電停からの距離が近いので、トラムを利用する。急ぐ必要もないし、朝は閉まっていた商店や、消えていたイルミネーションが、夜は賑やかに迎えてくれるからである。理由は他にもあって、有名な飾り窓地区は駅の南東側に接しているので、少し街歩きして、次の電停から乗車することもあったのである。

ファン・ウース・ストリートで下車した後はナイトショップに立ち寄って、ワインなど仕入れて帰宅する。アパート一階の扉の鍵を開け、狭く急な階段を四階まで登ると、次は二つある鍵を開けて入室する。セントラルヒーティングが完備しているので、入室後は、慌ててコートを脱がなければ、逆に汗ばんでしまう。

近所の家の窓に灯るクリスマスツリーの明かりを眺めながら一息入れると、明日はオランダ西部のデルタ地帯の水問題を管理するデルタ・エクスポの訪問だ……といった具合に予定を確認しながらコルクを抜いて一杯というのが一日の終りの行事であった。

私にクリスマスを祝う習慣はなく、それよりは月末に滞在の期限を控え、そろそろ仕上げをしなければ、という気分なのであった。

帰国

アムステルダムを去る一週間ほど前から、郵便局に通うのが私の日課となった。蓄えた資料や書籍、またこちらで購入して捨て難くなった、というよりは離れられなくなった日用品や衣類などを日本へ送るためである。ファン・ウース・ストリート郵便局は、文具などを扱う雑貨屋さんの中にあって、窓口二つの小さな局である。日参するうちに雑貨屋の御主人にも郵便局のスタッフにも顔を憶えてもらった。

「これで最後の荷物です。明日、アムステルダムを離れます」と挨拶すると、毎日、荷物の中味や値段、重さなどを確認してくれた窓口の女性は「ちょっと、待ってて」と言って郵便物の処理を済ませると、奥にいた他のスタッフに仕事を代わって、カウンターの外に出て来てくれた。若くて美しい女性だったので、私はちょっとドキドキした。座っていると判らなかったが、彼女は百八十センチの私と同じくらいの身長があった。間違いなく彼女はオランダ人だと思ってしまった。仕事のことや日本に帰るルートについてしばらく話した後で、「アムスの町は好きになれた?」と尋ねられた。

「私はアムスが大好きです」と答えると、「住んでいるとよくわからないわ、どこが好きか、教えて」と言われ、なるほど私も自分の故郷熊本のことはよくわからない、第一そんなことは考えたこともないと思った。

「皆、やさしい人ばかりでした」と私は答えた。

「そうかしら、旅行者に対してはそうかも知れないわ」と彼女は言ったのだった。

「またアムスを訪問したいと思います」と私が言うと、

「ありがとう。また来て下さい」そう言って、彼女はやさしく微笑んだ。

傍にやって来た雑貨屋の御主人からも、「気をつけて、そして帰りの旅を楽しんで」と言われた。お礼を述べ、握手を交わして二人とお別れした。せっかく知り合えたのにと、寂しい気持ちがこみ上げた。


翌日、午後の便で、私はアムステルダムを離れた。飛行機が離陸すると、平坦なオランダの風景は、どんどん小さくなっていった。見慣れたはずの風景なのに空から眺めると、また違って見える。大堤防や昔のままの姿で城壁が残っているエンクハイゼンの町など、私はフィルムの続く限りシャッターを切り続けた。三カ月間の滞在を思い出して、私は少し感傷的になっていたかも知れない。そして旅はすべてを新鮮にし、興味を持って見させるのだとしみじみ思ったことだった。

『レンブラントの世紀』（ヨハン・ホイジンガ著）を読む

はじめに

著者ヨハン・ホイジンガ（一八七二〜一九四五）は、オランダを代表するというよりも、『中世の秋』（一九一九）や『ホモ・ルーデンス』（一九三八）などの著作で有名な、二十世紀を代表する歴史家の一人である。本書の原題は「十七世紀ネーデルラント文化の概観」というもので、レンブラントについての研究書ではない。ただオランダの全盛時代である十七世紀文化を概観する際に、レンブラントはその中心に位置するということもできるので、邦題はこのようにしたと訳者である栗原福也氏は記している。

本書が出版されたのは一九四一年であるから、ナチスドイツの台頭によりヨーロッパ全体が嵐の中にある状況下、自分はオランダ人なのだと宣誓するが如く、我々はこのような来歴の国民だと誇りを示すために書かれたように感じられる。オランダがドイツの占領下に置かれると、ホイジンガは強制収容所に入れられ、一九四五年二月、解放を待たずに七十三歳で亡くなった。

ホイジンガは、「多少の教養と歴史的関心のある現代の平均的オランダ人が十七世紀のオランダ文化についてもっている知識を吟味してみれば、(中略) その圧倒的部分は油彩画からの印象によって形作られている」と本書冒頭で指摘する。彼が現代と言っているのは二十世紀の前半、第二次大戦前夜である。そうしたオランダの市民が親しむことのできた油彩画は、それが全盛期十七世紀の絵画であるとはいえ、歴史に名を残すようなほんの数名の大家の作品で時代をイメージしようとするのは、あまりに皮相なものに過ぎない。しかしそれから一世紀ばかり遡った十九世紀半ばの平均的オランダ人であれば、油彩画よりも文字へ親しむ度合いが遥かに高く十七世紀のオランダ文化はより身近であったとホイジンガは論じる。

印刷技術の進歩や出版事情の変化により、それは必然のことであろうが、ホイジンガは時代が下るにつれて、自らの来歴についての理解は薄まるばかりであると憂いている。ここまでを読むと、本書はオルテガの『大衆の反逆』(一九二九) のオランダ版ではないかと思えるほどだ。けれども本書の目的は、十七世紀オランダ文化そのものを概観しようというものである。

まず、ホイジンガは二つの課題を提示する。第一は、「一体オランダのように微小でかなり辺境の領土が十七世紀のヨーロッパに存在し、国家として、商業勢力として、また文化の源流として、あの若い共和国のように、遥かに先頭を切って進むことが出来たのはいかにして可能であったろうか」。(五頁) 第二は、「国家と国民自体が誕生するやたちどころにその極盛に達するような国民文化の実例がどこにあるだろうか」(五頁)である。

十七世紀、オランダ独自の繁栄

さて、十七世紀のオランダとはいかなる国、地域であったのか。十七世紀の一時期、オランダは疑いなく世界経済の中心であった。しかしヨーロッパ全体の歴史が動いてゆくなかで、その他の国と同様の活動においてある期間その先頭であったという訳ではない。オランダという国が全体の動きをとりわけ明瞭に表しているという訳ではないのだ。それはオランダだけに特殊な事柄であったとホイジンガは述べ、当然のことながら、地理的条件、政治的背景、国の大きさなど、それはオランダに特有なことで、ヨーロッパの他の国々と共通するものではないということを強調する。

驚くべきは、オランダが周回遅れのランナーだったがために繁栄したということの指摘である。十七世紀、イギリスやフランスが絶対王制の下、強力な中央集権体制を敷いていたのに対し、オランダは、まだ後期中世ともいうべき社会体制であった。それゆえ人々は自由に活動することができたというのである。この自由は、私たちが思い浮かべる現代の自由とは異なる。特に経済的自由主義とは「地方的・地域的自治のことであって、それは(自治体)内部では自由よりも強制を意味していた」(二四頁)のであるし、「昔からの経済的自由はこの国民にとって父祖からの貴重な世襲財産として大切にされてきた」(二五頁)ものであった。さらに「世界貿易によってあらゆる国々から羨望されたこの富裕な七州の共和国には、あらゆる方面に向かって溢れ出る企業熱・産業熱に対して秩序と規制を与えるようないかなる（中央）権力も存在しなかった。連邦議会は、最高の国家機関として東西両インド会社の二社に特許状と法令を賦与する以外、産業界を指導すべきなんらの機能も有しなかった」（二五頁）というのである。

要するに、オランダが繁栄した理由は、他国に先駆けた中央集権的制度や組織の存在などではなく、そうしたものの欠如、つまり国家の干渉がなかったことにこそ求められるべきであるとホイジンガは結論する。

逆さまに述べれば、繁栄の理由は「中世の人々が自由と呼んだあの極端に排他的な形態をとる組織を固守したことであった。そのような組織とは、それぞれ自己の圏内では厳しい拘束を課し、局外者はできる限り排除するけれども、中央政府からはなんらの制限も加えられないところの、あらゆる独立小自治体のことである」（二五頁）ということになる。

これらは目標を設定したり計画を立てたりしたのではなく、状況に対するごく自然の反応であるといえる。この場合の自然とは手付かずのそれではなく、ごく当たり前の慣習的な反応といった意味である。

ここで「若い共和国」、「七州の共和国」について教科書的な説明を試みておく。一五六八年にオランダはスペインの統治に対して反乱を起こしたのであるが、闘争は一六四八年に独立を果たして終結するまで八十年の長きに及んだ。後に八十年戦争と呼ばれるのであるが、「七州の共和国」とは、その最中の一五七九年に、反スペイン同盟としてネーデルラント北部の七州、すなわちホラント、ゼーラント、ユトレヒト、ヘルデルラント、オーフェルアイセル、フリースラント、フローニンゲンによって締結されたユトレヒト同盟を指す。この共和国は、結成から二年後の一五八一年にフィリッペ二世の統治権を正式に否認し、ネーデルラント連邦共和国として独立を宣言。その後一六〇九年には以後十二年間の休戦協定が結ばれ、協定通り一六二一年に闘争再開。八十年戦争は一六四八年に終結したが、中学校で習った通り、一六四八年はヨーロッパ史において特別な年である。一六一八年にはじまった三十年戦争が終結し、ウエストファリア条約によってその後のヨーロッパの体制が規定された年だからである。この条約によってネーデルラント連邦共和国も承認されたのであるが、オランダは三十年戦争に先立つこと五十年前から、いわゆる独立・宗教戦争を戦っていたのである。なおかつその間にオランダは全盛期を迎え世界の経済センターともなったのだ。本書においては、その間、ヨーロッパ諸国が戦争に明け暮れ、オランダの台頭に対して競争する余力を持っていなかったことも原因の一つであると指摘される。

話を元に戻すと、共和国は自由貿易の賛成者ではあったが、近代的な意味でのそれではなかった。「自由とは他者に対する断固たる禁止の権利である、という」（二六頁）いわば中世的自由に由来するものであったからだ。

その中世的自由によってもたらされた富はさらに金融業の隆盛を招いたのであるが、この金融業の経験が、他のあらゆる国々で勝利を得ていた重商主義的諸原理が支持し難いことを気付かせるに至ったとき、「アムステルダムは事実上、進歩的経済思想の揺籃となった。共和国はいわば重商主義を飛び越えてしまったのである」(二七頁)。

オランダは一気に金融資本主義へ移行したとの指摘であるが、やはりこれも近代的、科学的なそれではなかったのである。

「商業について述べたと同様のことは非常に発達した工業についても大体あてはまる。統制的な中央権力のないことは工業にとっても幸運であった。」(二七頁)これらは古いギルド制度のもとで、多数の都市に工業化がもたらされることに繋がることもあれば、古いギルド制度に含まれないような分野「例えば、酢、ブランデー、茜、塩、石鹸、タール、砂糖、タバコの製造や鰊漁や木材、石、鉄、その他の鉱山物の加工のような商業および航行ともっと密接な関係にあった多種の工業は」(二七頁)古いギルドとは関係なく自由に誕生し発展したのである。これらはいずれも中世的自由の下での成果なのであった。

次に国土について見ると、十七世紀のオランダは、築堤と干拓による土地自体の改良によって利用できる面積を絶えず増大させ続けたし、気候状態さえ繁栄に寄与したと指摘される。北海から吹き付ける特有の西風のおかげでオランダは風車の国になり、粉を挽くばかりか、水を汲み上げることにより、農地を生み出した。その上、風車の群れはわが国の風景に特徴を与えたとさえホイジンガは述べる。それが美しく風土に根差したしかるべき風景として、という意味であるのは明らかだ。ホイジンガの次の一文を読むと、その思いの強さが理解できる。

「アムステルダムのすぐ近くで汽車の窓からザーン側を眺めるとどうして百もの風車を見ることができるかを、一八八〇年に父がどんな風に教えてくれたか、わたくしはまざまざと記憶している。風車なくしてホラントはポルダー(干拓地)の国たりえなかったのみならず、古い手工業と大部分の産業の動力もまたえられなかったであろう」(二八頁)。

十七世紀に言われていたかどうかは知らないが、オランダには「地球は神が創ったが、オランダはオランダ人が創った」という言葉がある。それは、国土の四分の一が水面下に位置する低地国オランダは、干拓によって国土を拡大し続けてきたからである。そもそも「ネーデルラント」とは低地国という意味である。低地から水を汲みだす役目を果たしたのは、最盛期には一万基を数えたという風車なのである。その群れは、どこまでも平らな、あるいは狂的といってもよいほどの平坦な湿地帯に咲いた花のように見えたのではないか。オランダゆえ、それは巨大なチューリップに見立てられていたかもしれない。

オランダの繁栄について、上記のような明白な諸原因以外に、通常はマックス・ウェーバーのいう資本主義的精神やカルヴァン派の経営意欲などが理由として指摘されるのであるが、そのようなものはまったく関係ない。「すべては極めて中世的趨勢の中から発してその進路をとる。人々がそこで意識的に古いものに別れを告げ新路線を取って進み始めるところの時代の転換は絶対に存在しなかったのである」(二八頁)とホイジンガは断じる。

このようにオランダだけに特徴的であったことが、あらゆる分野について指摘されてゆく。例えば「共和国の経済構造について言えることは、国家構造についても、より無条件的といってよい位にあてはまる。国家もまた完全に保守的で、古い慣習の上に基礎を置き、伝統と古い特権にしがみついていた。自由意識は旺盛であったが、その自由は思想的には中世的なものであった」(三〇頁)というように。

けれども、大国スペインを相手とする「反乱の時代に入ってパトリアすなわち祖国という観念、そしてまたネーデルラントという言葉自体が怒涛のように鳴り響く時、初めて、ともに励みともに苦しむという理念があの偏狭な中世的自由の観念に勝利を占める。それは十八世紀の自由理念よりも限定され拘束されたものであったが、それに劣らず純粋で有効な理念であった。」(三〇頁)それは合従連衡とも呼ぶべきで、「共和国の国家秩序原理に名前をつけようとするならば、分権よりも割拠主義もしくはよく使われる分立主義(要求としてでなく事実としての)という言葉の方がより適切であろう」(三〇~三一頁)。

また、こうも言える。「スペインの統治に対する反乱は保守的な革命であって、それ以外のなにものでもなかった。その当時における自覚的な革新者、改革者、更新者、転覆者は反乱者のほうではなく、正統的政府のほうなのである」(三一頁)。

スペインやイギリスやフランスでは、後期中世の等族支配を犠牲にして自らを強化するために君主的中央集権主義と絶対王制が勝利していた。共和国の反乱はこれらの革新や改革に対して起こったのである。反乱軍の勝利は、ユトレヒト同盟の連合諸州にとって、プロテスタント派信仰の覇権、そして時代の政治的潮流とは反対の都市の自治と古い等族的原理による州統治の保持、そしてこれと連動している古い産業体制の存続を意味した。

「ユトレヒト同盟は原理上、満足すべき結果に至るまで協力して闘争を続行するための戦時同盟に過ぎなかった。」（三三頁）「同盟は政治的自由や独立とは明らかになんのかかわりもなかったのであって、最初から自由国家の憲章として起草されたものでは断じてなかった。同盟の基礎は中世的な自由概念であって、その基礎はそれに基づいて新国家を建設するには不充分であった」（三四頁）。例えば、ユトレヒト同盟ではあらゆる重要議決には全会一致が求められたのであるが、同様のことを、中央集権的統治を行う政府が要求されるとすれば、何も行なうことはできず、それは単なる妨害を意味する無用の規定であるに違いない。

まとめると、「共和国はその起源において新国家として企図された国家ではなかったし、その構造に関して言えば、それは時代遅れの基礎に基づいており、いかなる自覚的国家原理から出発したものでもなかった。」（三五頁）オランダはここに「国家形態の完備は国家の繁栄を保証しないという論証と、時代の精神は絶対主義のうちにのみ現れていた訳ではなかったという反証」（三八頁）を示したことになる。

さて、時代をリードすることになったオランダであるが、「外国人で連邦の政治に飽くことを知らない商業利潤の追求以外の動機を見た人はいなかった。」（三九頁）同時に共和国が行っていた国民的福祉政策を「認識するだけの能力と善意とが同時代の外国人には欠けていた。」（三九頁）つまり、外国の視線は、富の集中にのみ注がれていたのである。

　しかし富の集中は経済活動だけによって築かれるのでないことは言うまでもない。例えば「国民的福祉政策はヨーロッパの大抵の君主がなお没頭していた王朝的征服・陰謀政策に比べて、公共の安寧に対する遥かに多くの英知を含んでいた」（三九頁）のである。

「自覚的で首尾一貫した福祉政策は本質的に平和・宥和政策でもある。平和は共和国の成立以来この国の目的であり理想であった。」（三九頁）特に三十年戦争後、ヨーロッパにおいて平和は理想であった。しかし共和国自身は自らの平和が保てないとわかれば、武器をとることに躊躇はなかったのであると、自ら平和を勝ち取った祖国をホイジンガは鼓舞する。

「欠陥の多い国家装置を安全に運行してゆくことができたのは、ひとえに、あらゆるもののうち最大の変則ともいうべきオラニエ家の立場のおかげであった。主権者ではなかったけれども王者の尊厳に近い威望を身につけ、最高司令官として絶えず戦場に身を挺して活躍する首長として、オラニエ公は人民の心にある敬慕の情という眼に見えない力によって支持されていた。」（三九〜四十頁）つまりノブレス・オブリージュ（高貴なる者の義務）を果たす正当な意味での貴族としてのオラニエ公が、大和魂ならぬネーデルラント魂の中心に奉られていたのである。

　オラニエ・ナッサウ家とは、現在のオランダ王家であり、八十年戦争当時、オラニエ公は共和国側のシンボル的存在だった。歴史上は、イギリス名誉革命（一六八八年）によりウィレム三世が立憲君主としてイングランド国王ウイリアム三世となったことで有名である。オラニエとは英語でオレンジのことで、中学生の時、オレンジ公ウイリアムと習った記憶がある。余計なことだがサッカーのオランダ代表のユニフォームの色がオレンジ色なのはここからきている。

また「若き小国がしばらくの間にヨーロッパで頗る不相応の高みに到達することができたという事実の一部分は、僅かではあるがヨーロッパ域内共同体の内部的諸力から生まれたものであった。ネーデルラントに新しい自由と自己の持つ力とを最高度に利用することを許したものこそ、ヨーロッパの政治的状況にほかならなかった」(四〇頁)。

「要するに、十六世紀最後と十七世紀最初の数十年は対外政策の上でほぼ全般的な膠着の様相を示している。このような状況から、七州の共和国は単に政治上ばかりでなく経済上も最大限の利益を引き出す。周辺(諸国)における対外政策の無力さはこの国の産業および通商能力に対しても自由な活動を許したからであった。なおまだおよそ半世紀の間、隣接諸国の関税政策に悩まされることはなかった。もはやドイツの商業および海上航行との競争を恐れるには及ばなかった。ハンザ同盟は過去のものになっていたからである。スペインとポルトガルは貿易の担い手から顧客へと変わり、フランスはいまだにコルベールを待ち望み、イギリスはまだしばらくの間わが国よりも遅れている」(四〇〜四一頁)。

こうしたことから、「共和国の比類を絶する商業発展の主要原因の一つは競争相手の不在あるいは皆無」(二六頁)と言うこともできるのである。

都市について

水の都アムステルダムの美しい街並みについてホイジンガはこう述べる。「一六四八年頃、アムステルダムは実に十五万人の居住者を有し、ヨーロッパの大都市に属していた。あの十分に計画された都市建設の傑作、すなわち同心円を描いて走る掘り割りの構築によって、五十年の間にその市域は三度拡大され、それらの掘り割りの両側は、みたび、華麗でしかもすっきりした堂々たる邸宅の列によって縁どられたのであった。これらの掘り割りと家並みの全体は単に社会的・経済的観点から眺めるだけなく、純粋に建築術上の達成としてみても、実にヴェルサイユ宮殿のもつ価値を遥かに越えているのである」(五〇~五一頁)。

しかも奇跡のような街並みが生まれたのはアムステルダムだけではなかった。何故ならば、中世的自由の下で「しあわせにも、産業と繁栄が多数の独立した中心地(都市)に分散していたことは、アムステルダムのはるか後に続くハールレム、ロッテルダム、レイデン、ドルトレヒト、デルフト、ユトレヒト、ミデルブルフの諸都市もまたそれぞれの流儀で文化の中心になることを可能にした。非常に数多くの都市がそれぞれの絵画の流派を生み出したという事実はなによりも明瞭にこのことを示しているのである。」(五二頁)「主権の分有者として、すべての都市は原則として強大な姉妹都市アムステルダムと同一線上に立っていたのである。」(五二頁)「諸都市が意識して政治的に競い合ったことは文化と芸術における多様性を保持するのに少なからず貢献した。」(五二頁) 美しい街並みは、至るところで一斉に春の訪れの如く花開いたのであろう。

このように絶賛されたオランダのカナル・シティであるが、最高の輝きは、すぐさま枯れはじめたことも紹介される。その理由は、当時の美のモードであるバロックが流れ込んだからであった。それとは相容れない究極の民衆美とでもいうべきものを汚染しはじめたのである。十七世紀ヨーロッパの文化的潮流を一言でいうなら「バロック」ということであろうが、ホイジンガは、「当時の自国文化についてのわれわれのもつイメージはバロック様式の定式と驚くほど著しい対照をなして」(一〇頁)いて、「きびしい様式も大げさな身振りも堂々たる威厳もこの国の特徴ではない」(一〇頁)と述べ、その影響を受けたことを痛恨の思いで語っている。それでも本書執筆の五十年乃至六十年前までは、すべての都市がその本来の魅力を何とか保存していたと記している。

しかし、十九世紀後半から「最初に路面電車、コンクリート、アスファルト、自動車の往来がそれを破壊し、同じように、水路は帆走してゆくチャルク(へさきの丸い平底の帆船)が姿を消したために光彩を失ってしまったのである。われわれは都市美・景観美の喪失を嘆くため息を老人の反動的な繰り言として片づけてしまってはならない。若い世代は、現在の老人たちがついこの間まで知りかつ享受していた美しさが自分たちには失われている、ということに気づいていないし、また気づくはずもないのだ」(五一～五二頁)。

ホイジンガは断言する。もはやこの流れは止まらないと。よき市民の国だった自国にも、大衆社会が到来したことをホイジンガは嘆いているのだと私は思う。ヨーロッパでは、ファシズムとコミユニズムという理性の病とでもいうべき計画主義がはびこり、もはや引き返すことのできないところまで来てしまったという実感があったのではないか。

社会について——寛容ということ

四百年前、「貴族制はこの国では穏和な形態をとったのであって、かくも長い間殆んど暴力を用いずに、また概して極めて有益な配慮のもとに国土を統治したわが貴族制に次ぐような事例を史上に指摘することは容易ではないであろう」（五四〜五五頁）とホイジンガは指摘する。自分と異質な者の存在を認めない大衆社会とは明らかに異なる、異質な他者の存在を認める寛容さがあったのだ。君主制か貴族制のいずれかを選択しなければならない時代に、民主制ではないが極めて同質な、各階層間の往来が緊密で、その懸隔はほんの僅かに過ぎないような社会を形成していたのである。これも寛容な市民社会の姿を示すものだ。

信仰においても同様だ。当時のヨーロッパ諸国では、カトリックかプロテスタントか、さらにルター派かカルヴァン派かという厳しい境界線が引かれようとするなか、オランダにおいては画然とはしていなかった。都市貴族と市民の対立は、ある程度は優勢となったカルヴァン派の教会によって除去されたのではあったが、彼らは厳しい教えに従って説教をしたというよりは演説、説得を行ったのである。オランダにおいては「それらの意見は必然的に民主的色合いを帯びていた。民衆の中から生まれた説教師たちは、民衆の声をもって神の言葉を説いたのである。しかしながら、その声が革命的な響きをもつことは決してなかったのである。」（六六頁）また「教会・市民と貴族との関係は、この国における他のすべての状況、すなわち諸集団、諸階級の境界が画然としていなかったという状況に照応している。教会生活のもつ反貴族主義的傾向は遂に都市貴族の強い抵抗にでくわさなかったのである」（六六頁）。

こうした状況からも当時からオランダでは多様性が尊重され、異なるものに対して寛容だったことがわかる。表面上はカルヴァン派が指導権を握ったのではあったが、この国には、もう一つ「エラスムスの精神があまりにも深く根を張り、またあまりにも広範な層にまで浸透していたので、カルヴァンの教説も容易に勝利を収めることはできなかった」（六九頁）のである。言うまでもないがエラスムスは人文主義（ヒューマニズム）者であり、彼の思想の要は寛容と平和主義である。絵画好きな私には、執筆中の彼を描いたハンス・ホルバインの『ロッテルダムのエラスムス』がすぐさま思い浮かぶが、それはともかくホイジンガは「ヒューマニズム」という語について、「わたしは、中世の末頃出現し、十六世紀前半に開花した精神的事象を呼ぶためにのみヒューマニズムという語を使用することにしている」（七六頁）と記している。エラスムス的人文主義のみを自分はそう呼ぶと言っているのだ。

こうしたヒューマニズムの寛容の精神のもと、ユダヤ人もブリュージュやアントウェルペンからオランダへ逃れて来た。「スペインとローマの支配下にあるおのれの土地よりも、まだ決してそれほど安全とは言えない僻遠の地――なんとなれば、ホラント、ゼーラント、ユトレヒトは移住者にとってそう感ぜられたに違いなかった――への亡命を選んだくらいだから、かれらは当然のことながら最も無力な人たちではなかった。」（七三頁）「彼らにとっては一切のものはかちとるべきものであり、もはや失うべきなにものもなかった。かれらは多くのものを、まず第一にその富を、商業によって獲得した。かれらは、迫害された者として、信仰の問題に頑固で」（七三頁）あったにも拘わらず、その彼らも共和国は受け入れたのである。

それでは、カルヴィニズムはオランダの繁栄にどのように影響したのだろうか。「カルヴィニズム信仰の力たる勇気、確信、堅固さが大きな役割を果たしたことは確かである。」（八二頁）けれども「プロテスタントの厳格主義は頗る高揚していたにもかかわらず、オランダ人の生活の主音は依然としてジュネーブの改革者よりもむしろエラスムスによって奏でられていた。知識と文化への愛好を信仰に結びつけることこそあの偉大なるロッテルダム市民の根本精神だったが、そのような結びつきはすでにエラスムスの没年（一五三六年）、すなわちカルヴァンが福音を説く以前からこの国に土着化していたのであった。」（七五頁）カルヴィニズムを受け入れはしたが、熱狂することはなく、ましてやヒューマニズムを手放すことなどなかったのである。「学問の興隆という十七世紀におけるあの驚嘆すべき事柄に対してカルヴィニズムはなんら特別の意義をもたなかった」（八八頁）とホイジンガは断じる。さらに芸術も含めて「この世紀の絵画がプロテスタント信仰に負うところはあまり多くなく、ことにカルヴィニズムにはなお一層少ない。

なんとなれば、レンブラントの捧げた宗教画は宗派的な呼び名を超えて卓越しているからである。形式や思想を創造した最も偉大な人々の名前の中に熱心なカルヴィニストは一人として存在しない。グロチウス然り、フォンデル然り、レンブラント然り」（八八頁）と引導を渡している。

芸術について

芸術については、それが一部のエリートだけのものであれば、オランダに特徴的な芸術の数々は生まれなかったであろうと述べられる。画家の社会的地位について、ホイジンガはこう指摘する。「わが絵画芸術が社会的に日陰の存在であったという事実の教訓はつぎの通りである。すなわちそれは、もしも画家にとって、かれの修業した仕事場から、数年間のイタリアでの研究を経て商人、説教師、市統治者層の間に伍するような社会生活上の身分に至る道が開かれていたならば、おそらくかれらの芸術の最大のもの、また最も独自なもののことごとくはこの世に存在しなかっただろう」（六一～六二頁）。

王侯貴族の宮殿の壁を飾るような絢爛豪華な大画面の絵画ではなく、日常生活の一場面を描いた素朴な絵画。画家としては、フェルメールやピーテル・デ・ホーホ、ヤン・ファン・ホイヘンやフランス・ハルスなどが思い浮かぶが、その理由については、「この国で大建築や彫刻の余地が少なかったのは石材が欠如し、地盤が軟弱に過ぎ、屋敷地が狭小に過ぎたからというより、公共乃至は個人の大きな依頼主、芸術保護者が充分に存在しなかったからであった。宮殿や大がかりな彫刻には君主、枢機卿、大領主を必要とするが、それらはこの国に存在しなかったのである。

しかしながら、このような状況は油彩画と版画に対して実り豊かな領分を開いた。というのは、文芸復興以降、油彩画は祭壇画と壁画〔壁画は気候のためにこの国では発達しなかった〕から解放され、市庁舎、救貧院あるいは個人の住居を装飾するための独立した一枚画となって発達し、そのような油彩画を人々はよく理解したからである。」（六二〜六三頁）ここでは有名な「集団肖像画」などが思い浮かぶ。

こうした絵画の依頼は、豊かな一部の人々だけに限られていたというのではない。一般の人々も自宅を絵画で飾ろうとしたし、実際、一般の人々の家中に絵画は飾られたのである。例えば「靴直しでさえ小さくとも自分の絵を所有している」（六三頁）のであった。

十七世紀オランダの奇跡のような時代を讃える一方でホイジンガは自らの時代（二十世紀）を次のように論じる。「ある意味で嘆かわしい現象だが、知的好奇心よりも芸術愛好心に富む現代の一般大衆の歴史像は、どの時代についても、歴史書自体を読むことよりも造形美術からの印象によって影響されることが非常に多い。ごく少数の人々の場合を除いて、文学でさえ造形美術と並ぶそれ相当の場所を占めてはいず、政治や社会に関する知識に至っては一般に情ない状態におかれている。もっとも、こうした知識に関してわれわれがみな充分でないのはやむをえないことだ。美術品の可視的な美と詩的言語の目に見えぬ美しさはわれわれの精神をそれらの領域へとあらがいがたく魅了するからである」(六四頁)。

ホイジンガは、それはある程度仕方のないことではないかと言っているのだ。何故なら、それほどに稀な社会が、溢れるほどの素晴らしい芸術作品を私たちに遺してくれているのだから。しかし、それでも歴史や政治や社会に目を向けないのはどうしてなのか、どうしてこのように重要なことに目を向けないのだと逆説的に問うているのである。

話を絵画に戻す。人間と事物の日常的局面に目を向ければ、オランダ民族の特質がよくわかるとホイジンガは言う。オランダ民族の特質とは、「すなわち高尚なものでもなく深遠な形而上的なものでもないが、しかも極めて重要なる特質へとたち返ってくる。その特質とは簡素な生活およびそれと密接に結びついている節約と清潔であった。簡素ということは単に衣服や慣習、社会生活の色合いや精神的態度にだけ見られるのではない。それはまた都市の構造や国土自体のたたずまいにおいてもみられる」(八九頁)。

不思議なことにオランダでは、「繁栄と富裕は決してあの伝来の特質である全般的にゆきわたっている質素さというものをすっかり消滅させてしまわなかった」(九〇頁)のである。

大衆社会は到来しなかったということなのだろうか。しかしここで私には一つの疑問が生じる。本書には、球根一つに家一軒分の値が付いたという、かの悪名高き「チューリップ・バブル」についての記述が全くないのである。質素さを保守した上で、それはそれ、これはこれとでもいうように、価値など何処からでもやって来そうなモノが投機の対象となったのだろうか。またそれほどまでにオランダはバブリーな国だったということなのであろうか。

ホイジンガは続ける。「富を衣服や召使いへの無駄な支出に浪費しないこの国民のみが」（九一頁）例えば、アムステルダムの同心円状の掘り割りを三度にわたって拡張し、すべての運河沿いに壮麗なカナル・ハウスを建てることができたのであると。

また、オランダ民族の特徴として「清潔好き」も忘れてはならないと指摘する。「チーズ製造は農民の居宅内で行われたが、どんな僅かな不潔でも数週間の労働を台無しにしかねなかったことからみて、誰でも、細菌の知識はなくとも、周囲の一切に極度の注意深さが必要であるということを理解していたのである。」（九一〜九二頁）これは憶えておくべきことのように思える。何故なら、ここに述べられた「清潔好き」は、現実に対して、それも細部にまで注意を払っていなければ、達成できないことだからである。私が指摘せずともホイジンガはすぐに解説を加えている。

「清潔好きという性質は強い現実感覚と関係がある。ここに言う現実感覚とは世界と諸事物を現実として受容する一層深い意味においてであり、それはまた、哲学的に基礎づけられているにせよいないにせよ、諸事物を実在として、またすべてそれ自体で存在するものとして承認し尊重する。この清潔好きにはオランダ的な信仰形態を特徴づけるなにか倫理的平静さといったものが表現されている」（九二頁）。

「美」についても、同様の指摘がある。「美しく磨きたて洗いあげたものへの欲求はおそらく国民性という土壌の深部に存在するのであろう。オランダ人はいつも日常生活の事物を非常に大事にし、日常生活の価値を理解してきた。これらのもの一切を神の賜として尊重することは、かれらの極めて深い敬神と照応していた。そのように尊重することによって、オランダ人はそれらの一切を、美として享受し、また情熱をこめて磨き、ふき、ほこりを払って完全に保持し、新しい状態のままにしておくに値するものであるとした。彼らにとって好都合なことに、水はいつでも手近にあり、湿気を含んだ空気と海風は四囲を殆んどほこりのない状態に保っていたのである。」(九二頁)ここには、オランダ芸術にとどまらず民族の核心が記されているように思われる。

油彩画

十七世紀のオランダ絵画は、美術史のなかでも特筆されるべき特徴を示している。まずホイジンガの説に耳を傾けてみよう。「油彩画は裕福な市民層の富と生活の喜びの中にその存在理由を見出し、またそれらの人々の中に自らのインスピレーションと保護者と制作依頼者とを見出したのである。この国には偉大なる美術の保護者は一人として存在しなかった代わりに、無数の美術愛好者が存在した。油彩画は市庁舎、市民集会所、孤児院、商館事務所、都市貴族邸内のサロン、市民の家の客間など、ただ教会を除けば至るところに掛けられていた。」(一一九〜一二〇頁)市民たちが自らの生活空間を飾るために、絵画を欲したのである。

次に「裕福で教養ある市民たる商人、弁護士、役人は美術から何を要求し、美術に何を観取したのであろうか。別言すれば、このような美術の社会的・審美的機能は何であろうか。」（一二〇頁）ホイジンガは、それらの人々が純粋な美的欲求を満たすために絵画を欲したとは考えていない。十七世紀のオランダ絵画にそれを求めてはならないと言う。それに先立つこと数世紀、オランダには装飾欲の遺産があったと言うのである。「色彩や線へのひたすらなる喜びがあった。中世紀の人はペンキさえ手に入ればあらゆるものに色彩を施したが、十七世紀の人もあの豊かな色彩への願望をなお忘れていなかった。」（一二〇頁）そしてその理由は、オランダ民族の特徴である「簡素な生活および節約と清潔」に求められると言う。その根底には「この世のすべてのものは実在しかつ大きな意味を持つというあの揺るぎのない信念」（一二一頁）があるからだ。

どういうことか。ホイジンガは、十七世紀オランダの風景画や風俗画を評価しない人々に対して次のように言う。「今昔を問わず、オランダの油彩画を嘲笑し軽視した鑑賞家たち、また十七世紀あるいはそれ以外のどんな美術上の時期についても言えることだが、人間、事物もしくは自然の外観をありのままに写生するのは単なる複写であってそれ以上のなにものでもないと考えた人々、それらの人々はみな写生という言葉の意味と写生そのものの価値を理解していなかったのである。いかなる事物の写生であれ、手をもって描かれる写生は常に単なる模写を遥かに越えるものであり、外面的な形の背後にあって言葉にまで凝結しえない本質を表現しているのである」（一二一頁）。

私もこの意見に全面的に賛成する。絵画とはそのような芸術である。十七世紀オランダはそのような絵画の宝庫である。それはそうであろう。世界の富が集まってくる共和国において、これまで述べてきたような特徴を持つ人々がそれぞれの都市を創り上げてきたのだから。描き留めるべき画題が国中細部に至るまで充満していたと言うべきかもしれない。「わが十七世紀の人々はおそらく写生画への激しい渇望を懐いていたに違いない。かれらにとっては、周囲のいかなる対象もそれを写生するための自己の芸術的手練と精進を捧げるに値した」（一二一～一二二頁）のである。「人々が油彩画を所有しようと望んだのはそれがかれの大事にしている事物を再現し、そうした気持ちを表現していたからである。」（一二二頁）そして絵画は、その絵を飾る部屋によって画題が決定されたのである。花瓶に生けられた花を画面いっぱいに描いたヤン・ブリューゲルの絵画などが思い浮かぶところだ。

バロックとオランダ美術の関わりについても「ルーベンスがなしたような活躍への可能性を画家に開いた再生カトリックの教会芸術はこの国には存在しなかった。自らを壮麗な後期バロックの方向へと展開してゆく機会を喪失したために、幻想の全分野は可能性を潜めたまま耕されずに残っていたし、この世紀の大様式自体もわが国の美術にとっては依然として親しみ難いものであった。」（一二六頁）「あらゆる表現力は、親密さをこめて素朴な現実を暗示することや、静寂な遠景を夢見るごとく眺望することにひたすら打ち込んだのであった。オランダの絵画は後期バロックの殆んどすべての本質的特徴、つまり偉容に満ちた壮麗さ、勿体ぶった重々しさ、大げさな芝居めいた身振り、声高の口調などからはるか離れた地点に立っていた。それはあたかも美しい田園生活が都市生活の雑踏の外にあるのと同様であった。」（一二六頁）そしてオランダの画家について「通常、画家は日常生活のありふれた事物を描かなければならなかった。したがって、プロテスタント的性格を持たず、しかも圧倒的にプロテスタント的な環境のために奉仕したオランダの油彩画は、聖画にもあらゆる礼拝用の画像にも決して用いられたことはなかった」（一二七頁）とした上で、「僅かにレンブラントとその弟子たちだけが聖書への通路を見出したのである」（一二七頁）と述べている。

そうするとオランダ史上最高の画家とされるレンブラントは、十七世紀オランダ画壇の本流を代表する画家でないことになってしまう。けれどもオランダが信仰とは無縁のホモ・エコノミクス、つまり近代的経済人の如くであったかというと、無論そうではない。レンブラントは当時のオランダ人にして、それを超越するような普遍的画題へと挑戦した画家であると捉えるべきなのであろう。そして信仰が表面上は社会の後方に退くように見える中で、一種の代償として、サーンレダムやハウクヘーストなどが、「大いなる愛情と比類のない才能をもって教会自体の描写に、すなわちその内部や外部のありのままの姿に立ち向かったのである。」（一二八頁）「かれらは生を幻想で装おうことは殆どせず、実人生と同じように多くの神秘で包んだのであった。然り、かれらはみずからそのことを知らずして哲学的な意味でのリアリストであった。つまりかれらは、存在一般とあらゆる個別的事物との絶対的実在性を牢固として確信した、というすぐれた意味においてリアリストだったのである。そしてリアリストなる語はこのような意味に使用すべきものだ。リアリズムについても同様である」（一三〇頁）。

フランス・ハルスとフェルメール

代表作『陽気な酒飲み』のような、酔っ払いの肖像画や居酒屋の風俗画で知られるフランス・ハルス。そのモデルたち、「容色も褪せたありふれた老婦人たちに永遠の生命を吹き込むことができたかは今もなお一つの芸術上の奇跡」（一三一頁）である。「ハルスは彼女らの精神を分析したのだなどと言ってはいけない。かれはそのようなことを思いもしなかったのだ。にもかかわらず、かれの洞察と技量はみずからかつて憶えのないほどに冴えており、ここに一つの詩を、すなわち一つの時代と国民の全体がそこに表現されている詩を創造したのであった」（一三一頁）。

ハルスは思想的に何か抽象的な概念を設定してそれを画面に描こうとしたのではなく、自分にとって大事なことを描いたのだということである。そしてそれは彼の天才のなせる技であることが理解できる。この国において、何が真実であり、何が大事であるかが普遍の事柄として共有されていたが故に、ハルスは自然にそれを達成することができたのではなかったか。

フェルメールについても同様の指摘がある。「皮相に観察すれば、フェルメールはかれの多くの画工仲間と同じように表面的な日常生活を描いたに過ぎなかった。」（一三二頁）「しかしここではリアリズムという言葉は全く見当ちがいであろう。」（一三二頁）フェルメールの描いた女性や事物たちは、「比類なく詩的な内容を与えられている。よく注意してみると、それらはまた決して十七世紀のオランダ婦人ではなく、静寂と平和に満たされた憂愁の夢世界に住む人物なのである。」（一三二頁）ただハルスと違ってフェルメールは、光学機械を使って画面の配置を決めているのではあるが、描き留めようとしたのは、オランダ民族にとっての真実、そして市民にとっての真実であるということは同じであろう。

ここで、フェルメールについて興味深い記述を見つけたので、紹介しておきたい。本書執筆当時、まだフェルメール作品として、ロッテルダムのボイマンス・ファン・ベーニンゲン美術館の至宝として展示されていた『エマオのキリスト』について、ホイジンガはこう述べている。「フェルメールは最も神聖で極めて明確な出来事を描くまさにその時において、すなわち『エマオのキリスト』においてともかく期待するほど充分には描ききってはいないと思われる」（一三三頁）。

ホイジンガが終戦を見届けずに一九四五年の二月に世を去ったことは先に述べたが、それから三か月後、同じフェルメール作品『キリストと悔恨の女』をナチスに売ったという罪で終戦直後の五月に逮捕された男が、実はこの『エマオのキリスト』の制作者であったことが判明する。男は、衆人環視の中でフェルメール作品を描いて見せたのである。一九三六年に大金を投じてこの絵を購入した美術館の権威は丸潰れとなった。贋作者ハン・ファン・メーヘレンは国宝級の美術作品をナチスに売り渡した売国奴から一転、ナチスを騙した英雄へと祭り上げられた。これが美術史上最大の贋作事件として知られるメーヘレン事件である。

彫刻について、「比較的貧弱な発展は、彫刻が発達するための社会的条件の欠如ということですでに大方の説明がつくだろう。大地と建造物のある敷地の配置が、純空間的な意味で、すでにある程度彫刻のための場所の狭さを規定している」（一四四頁）と考えられるが、たとえ場所があったとしても「制作依頼者たちがいなかったのである。」（一四五頁）それは「彫刻は制作依頼によってのみ存続することができるのであって、そのためには豊富な資力を自由に使える偉大な芸術保護者あるいは中央政府が必要なのだ。わが共和国にはこれらの両者とも出現しなかった」（一四五頁）と指摘されている。

さて、建築について「都市当局と富裕な慈善家たちが壮大な彫刻作品を注文する代りに孤児院や養老院を建設したとすれば、それは純オランダ的な分別と倹約と呼ぶべきであろうか。」（一四五頁）「芸術と国民文化のかかわり合いは、（彫刻よりも）建築術においてずっと明瞭に示されている」（一四六頁）。

富裕化した市民は、アムステルダムの運河沿いにカナル・ハウスと呼ばれる豪邸群を建築した。その次に彼らが求めたのは「王宮でも司教座聖堂でもなく、市庁舎、孤児院、市民集会所、倉庫であり、いくつかの大都市における商品取引所、大貿易会社の商品貯蔵所であり、さらに富裕化した商人階級のための無数の別荘であった。ちなみに、これらの別荘の庭園と森林地帯が連なって、その地域一帯は行楽地と化したのであった」（一四八頁）。

世界の経済センターとなったオランダは、建築においても注目されていたようで、建築道楽で知られるデンマーク王クリスチャン四世から王宮建設を依頼されている。コペンハーゲンのフレデリクスボー城やローゼンボー城の建設。「ハムレット」の舞台として有名なクロンボー城もそうである。「オランダの建築家たちは、デンマークにおいて王城の築造を依頼されて見事にその任を果たし、引き続いていくつかの城館を建築したが、それらは元来上流市民の住居のためのものだった様式と装飾の諸要素を使いながら、国土の尊厳にふさわしい規模のものであった。」(一五〇頁)彼らは見事にやってのけたのである。彼らは需要がないから王宮を建設しないだけで、建てることができない訳ではなかった。オランダ人は自らの希望と必要に応じて建築することができたのである。「同時代人もまた自己の生活している環境をその建築美において最もよく理解していたのであった。」(一五二頁)とはいってもそれは近代的な美術史的あるいは美術愛好者的なそれではない。十七世紀にはまだそのような範疇は確立していないからである。「十七世紀自身はそのような建築美を驚くほど理解していたのだが、それを言葉に表現しようとはしなかった」(一五二頁)のである。それは彼らにとって空気と同じように予め与えられているものといった存在だったからであろう。

けれども芸術家と呼ばれる人たちは、人々が当然と思って気にも留めないような事柄について、その核心を掴み取り造形化してゆく。例えば「フェルメールの『デルフトの眺望』にみられる対象の完全な詩的理想化は、このような愛情と没入において真に相携え合っているのである。おそらくこの都市風景図におけるほど当時の幸福な陽がわれわれの前に明るく輝いている絵は他にないであろう。それはまた単純な思考法と堅固な信仰の中に健康で天真爛漫に生きた往時への郷愁で、時にわれわれの心を満たすことであろう。」（一五二頁）このようなことからも十七世紀オランダは、楽園のごとき場所であったと思わずにはいられない。

凋落の兆し

世の常と言うべきか、「画家は眼前に眺めるのとは異なる美、異様で崇高なもの、換言すれば奇想的浪漫的なものを志向」（一五二頁）する。例えば十七世紀オランダを代表する画家の一人であるロイスダールには『ハールレムの眺め』のような、オランダの平坦な地形、あるいは荒地や砂丘のようなランドスケープを描いた作品の他に、オランダにはない滝や岩場のような山岳風景を描いた絵画がある。

いつの世も、このような新しいもの好きな、流行に流されやすい、あるいは自分のものに満足しない人々の群れが存在する。カナル・ハウスの富裕な建築主たちの中にも、邸宅の壁をないものねだりの憧れを示した絵画で飾ろうとした人々がいたのである。そしてバロックへと魅かれてゆく者たちが、やはりいたのである。

こうした時代の空気を象徴するような事件が起こる。それは八十年戦争講和の年、つまり一六四八年にアムステルダムの新市庁舎の建設が決まったのであるが、その直後に、横に建っていた中世以来の古い市庁舎は火災で焼け落ちてしまったのである。完成したファン・カンペン設計の新市庁舎は、バロック建築の傑作で、この世における八番目の奇跡と称賛されるほどの出来栄えであった。現在、戦没者慰霊塔のあるダム広場に沿って建っている王宮が、その新市庁舎である。

バロック様式から離れていたことで、オランダの芸術は独自かつ特異さを示していたというのに、ホイジンガは次のように述べる。「真の国民的志望や霊感の衰弱は建築の分野において他のどの分野よりも早く、しかも突然に現れたように思われる。建築が引き締まったきびしい形態を志向し始めたとたん、あの繁栄期への信頼と愛着をわれわれに懐かせるなにか力強いもの、豊かなものがそこから失われたようにみえる。この国の建築に楽しい幻想の調べと独自の装飾欲が支配的であり、偉大さよりも心地よさが追求されていた限り、それは生粋のオランダ建築であり真の国民的建築であることができた。しかるにひとたび大様式を追求するに至ると、それはロマンス語諸国家の範例にあらがいがたくひきつけられひきずられて模倣に陥り、自己のもつ国民的特徴を殆んど失ってしまうのである」（一五五〜一五六頁）。

「オランダにとってのいくつかの理想、すなわち寛容、平和愛好、極めて強固かつ公正な法意識、細事への拘泥や大言壮語の嫌悪、平安への願望など」（一六三頁）は、もはや過去のものとなってしまったのだろうか。「平安はその理解に応じて、無為の悪徳につながる甚だ低い理念だったり、あるいは永遠の観照へと導く極めて高い概念だったりする。平和の理念は全くの消極的態度であることを要しないのだ。十七世紀のオランダはその商人、航海者、戦士、勤勉な労働者や農民において、すなわち産業と思想のあらゆる部門において非常に積極的だった。」（一六三頁）表面上は、同じことを言い同じことを行いながらも、その意味は変容してしまったのだろうか。

実は十七世紀のうちに商人層は商人から市の為政者へ、企業家から投資家へと変貌していたのである。もはや「この国は利子生活者の国になったのであろうか。」（一六四頁）凋落の兆しが見えはじめた頃、「大多数のレヘントがやっていたことと言えば、慣例化してしまっている市行政を勿体ぶって長々と議論することや、真剣だが時間のかからない裁判に出席するほかは、園丁長の後について歩いたり執事や公証人と話し合ったりすることに限られていた」（一六四頁）のである。

レヘントとは都市貴族のことで、アムステルダムを代表とする商業都市の大商人、海運業者、金融業者などで、豪邸に暮らし荘園を経営するような特権的豪商層のことを指す。共和国時代のオランダに中央政府や官僚制はなかったため、市議会、州議会、連邦議会議員は彼らの中から選出されることになっていた。つまりレヘントは政治を独占していたのである。

「祖国オランダは平和になり過ぎてしまったのだろうか。」（一六五頁）「活気と騒音に満ちた十七世紀に代わって、われわれの国が夏の日の夕暮に近い午後の陽光の中にまどろんでいるかのようにみえる十八世紀の光景が忍び寄ってくる」（一六五頁）。

繁栄がまさに頂点に達する頃、凋落はすでにはじまっていたのだ。わが日本においてもほんの僅か昔に同様のことが起こり、現在もその最中にある。

ホイジンガは、第二次大戦がその後、どのような展開を辿ると考えていたのだろうか。そして戦後は、どのような世界が出現すると考えていたのだろうか。それに対するホイジンガの答えはこうである。「十七世紀のわが共和国とその国民が築きあげた最良のものたる行動への力と意志、正義と公正の観念、慈悲と敬虔と信仰、これらのものが現在は言うまでもなく将来においてもなおどれ一つとして失われないのだということをわれわれオランダ人は知っているのである。」（一六七頁）世界がどうなろうと、十七世紀的オランダ人こそが真のオランダ人なのである。

（『レンブラントの世紀――17世紀ネーデルラント文化の概観――』一九六八年・栗原福也訳・創文社）

『チューリップ・バブル』（マイク・ダッシュ著）を読む

はじめに

オランダの花と言えば、私たちはチューリップをイメージする。そしてチューリップと風車の国といったイメージをオランダに対して持っているのではないか。確かに風車はオランダの風土から生まれたものであろう。しかしチューリップはオランダ原産の花ではないのである。

一九八七年十月十九日、ブラックマンデーと呼ばれた株価大暴落が起こったとき、過去にも似たような出来事があったということで陽が当たったのが、この「チューリップ・バブル」や「南海泡沫事件」であった。当時、歴史は繰り返すと言われたものだった。チューリップ・バブルは、オランダの全盛時代である十七世紀、歴史上初のバブル崩壊事件として生じた。

チューリップ・バブルについての研究や書物は極めて少なく、発掘の契機とされるチャールズ・マッカイの著書『恐るべき大衆の妄想と集団の狂気』（一八四一）は、七百ページを超す大著でありながらチューリップ・バブルに関する記述は、僅か八ページに過ぎない。ならば自分で……と考えたと本書執筆の動機を著者マイク・ダッシュは語る。

一九九八年の秋、三カ月にわたる渡蘭を前に、私は渡辺京二先生から薦められて、十七世紀ネーデルラントの文化的概観を記したホイジンガの名著『レンブラントの世紀』（一九四一）を読んだのだが、そこにチューリップ・バブルについての記述は一言もなかった。それは何故か、という疑問が湧き起こるのは当然であろう。そのようなことを思いながら本書を手にした。

マイク・ダッシュの『チューリップ・バブル』（二〇〇〇年・文春文庫）冒頭、この奇妙な現象に対する至極当然な疑問の数々が列挙される。「戦乱と困窮に満ちたあの時代に、なぜ人々はそんなものに心奪われたのか？　それも高潔な国民性を誇るとされたオランダ人が、厳格なカルヴァン主義の教義を実践し、教会のオルガンでさえ虚飾であると禁止し、結婚式の披露宴のダンスに眉をひそめるオランダ人が、どうしてまた貪欲で途方もない取引に、それもたいていは酒場の奥にたむろする酔っぱらいに仕切られていた取引にうつつを抜かしたのか？　どうしてまた取引の対象となった品物が、もっと実用的なものではなくて、花の球根であったのか？」（六頁）「陰気でくそ真面目で厳格で道徳心が強くて、とりわけ金銭についてすこぶる渋いことでヨーロッパ中に知られているオランダ人が、チューリップに熱中して身を滅ぼすなど、いったいどうなっているのだろう？」（七頁）。

これらのまとめのようにして、「投機熱はなぜオランダで、なぜその時代に起らなければならなかったのか」(一〇項) と問題が設定されている。

　さらに疑問は、「オランダ共和国の国民は金持ちから貧民まで一人残らずチューリップに熱中したというのは本当か？　一個の球根に百万ポンド(約一億七千万円) 相当の値がついたというのは本当か？　球根価格の暴落は、当時世界でもっとも豊かで高度成長を誇っていた全オランダ経済を不況に追い込むほどの威力をもっていたのか？　絶大な権力を握るオスマントルコ皇帝までが、たかだかチューリップに取り憑かれたばかりに王座を追われたというのは本当か？」(一一頁) と詳細へ入り込んでゆく。

ヨーロッパ伝来

　これらの疑問を解く前に、チューリップ自体の出自、発見、人間との関わりから物語ははじまる。何故なら疑問の第一項は「この花がどのようにして東方の生まれ故郷を離れ、何千キロもの距離を旅してオランダにたどり着き、そこで根をおろしたのか」(一〇頁) と記されているからである。

　その理由は明らかだ。「なぜ人々はそんなものに心奪われたのか？」を知るには、チューリップがいかなる花であるかを知る必要があるからだ。疑問の根源は、何故チューリップか？　なのだ。「チューリップはオランダ原産ではない。そのルーツは東方にあり、想像を絶するばかりに広大な中央アジアの地で生まれた。その花がオランダに伝わるのは、知られるかぎりようやく一五七〇年になってからである。」「植物学者によると、チューリップが最初に誕生したのはパミール高原の低木に覆われた丘陵地で、そこから天山山脈山麓の丘や谷間に広がって群生していたという。」(二四頁)「天山山脈は、地球上でもっとも人間の介入を阻む地域である。どんなに環境に順応する旅行者でも、肺機能を損なうほどの高地の気圧の下、チューリップが咲く谷間を広大な山脈のなかに見つけることはまず不可能であった。周辺地域に通じる山道は一年のうち八カ月から九カ月は雪に閉ざされて通行不能となる。そのうえ雪がいっせいに解ける夏はさらに過酷な状況となり、天山山脈には命知らずの冒険家でもめったに足を踏み入れることはなかった。」(二五〜二六頁)「強風吹きすさぶ中央アジアの過酷な冬を生き延びた木に目にしたチューリップは、遊牧民にとって、たんなる荒地のなかの草むら以上に尊く思えたにちがいない。それは生命と繁殖の象徴であり、春の使者であった」(二六頁)。

このような環境の下に生息し、かつその美しさから、ペルシアでは十一世紀ころから崇拝を集めていたという。その崇拝熱は、一二五〇年頃に詩人サアディが理想の庭園について記した詩によれば、「冷たい清流のせせらぎ、鳥のさえずり、枝もたわわに実る果実、鮮やかに色が混じるチューリップ、そして芳香の薔薇」(二七頁)であり、「イスラムの高僧ハーフィズは、チューリップの花びらの光沢を、愛する女性の頬の輝きにたとえ」(二七頁)た。また、「トルコ語でチューリップを意味するラーレという言葉をアラビア文字で表わすと、そこで使われる文字が『アラー』をつづる文字と同じであることから、文字どおり神の花と見なされた。」(三一頁)さらに「チューリップは花の盛りで頭を垂れることから、神の前における謙譲の美徳の象徴でもあった」（三二頁）というのである。

このように本書はチューリップのヨーロッパ到達までを、その社会にとっての意味付けなども含めて詳細に辿っていく。中でも圧巻なのは歴代スルタンの活動を紹介しながら辿っていくオスマントルコにおけるチューリップの評価であるが、それは人が何故チューリップという花に惹きつけられていくのか、言い換えればチューリップの持つ魔力を示すために費やされている。

そしてついに十六世紀の半ば、チューリップはヨーロッパ人の目に留まることになる。ヨーロッパで最初にチューリップの美を讃えた人物は、オジェ・ギスラン・ビュスベックではないかと著者は言う。オーストリア宮廷で長年権力を振るったフランドル貴族の私生児である彼は、一五五四年に神聖ローマ帝国大使としてイスタンブールに赴き、時折、帰国したが八年近くをオスマントルコ帝国で過ごした。そして一五八一年に記した自著書で、チューリップとの出会いを次のように語っている。「コンスタンティノープルは目と鼻の先、旅のしめくくりを目前にしていた。ある地方にさしかかると、一面に花が咲いていた。水仙、ヒアシンス、そしてトルコ人が呼ぶところのトゥリパンである。このような真冬に、とても開花に適しているとはいえないこの季節に咲いていることに、われわれは驚かされた」（五九頁）。

チューリップのヨーロッパ伝来に関しては、たくさん記録が残されていて、ドイツの大富豪フッガー家のアウグスブルクの庭園では一五七〇年代初頭に栽培がはじめられたし、「一五七二年にはウィーンでもチューリップが咲いた。一五九三年にはフランクフルトで、一五九八年（もっと早い可能性もある）には南フランスでも咲いた。チューリップの球根は一五八二年にはイギリスへ送られ、その後大量に栽培されるようになる。」（六六頁）あるいは「目新しくて可憐で美しいとあらゆる地域で人気を博したこの花は、球根がもち運びに適していることも手伝って、やがて大々的に普及するようになる」（六五頁）というように伝播の速さや人気の理由などが記される。しかし、ここでも特筆すべきなのは、やはりチューリップという花の美しさ、人を惹きつける力であろう。チューリップは一躍、花の女王となったのだ。

十六世紀末には既に新しい交配種が次々と生み出され、色合いも次第に華やかになってゆき、イギリス有数の植物学者であったジェームス・ギャレットなども、その魔力の虜となり、二十年にわたって大量の新品種をつくり続けたという。

チューリップ時代到来の準備が着々と進んでいるようである。そして決定的な準備が施される。「アメリカ大陸で発掘される銀や、インド航路による貿易の収益で、ヨーロッパには未曾有の財が流れ込み、富豪は目新しい金の使い道を探していた。ルネサンスが科学への関心を呼び覚まし、印刷技術によって新発見や過去の知識が容易に入手できるようになった。このような社会状況に付随して植物学や園芸が上流階級の間で大流行した。富と権力を握るヨーロッパ市民がこぞって庭造りに熱中し、珍しい植物の入手に躍起になった。」（六五頁）そしてその美しさをさらなる高みへ、あるいはまだ人々の見たことのない色合いへ、というように、仕舞には、この花が人々から注目されているが故に、その花の女王を誰よりも早く、自分だけのものにしたいという欲求が一層高まって行ったのである。そして「珍しい花を咲かせるおびただしい数の品種が誕生すると、色だけでなく、背の高さや葉の形、早咲きか遅咲きかなどさまざまな違いが発生した。」（六七頁）すると当然のことながらそれらの鑑定者が必要になってくる。今風に言うなら「格付け」を行う権威者が必要になったのである。そのような人々が存在せず、「どの花が珍しくて望ましいのか、どの花がありきたりで無価値であるかなどの目安になる価値基準が存在しないと、チューリップ相場は生まれなかったであろう」（六七頁）と著者は論じる。そしてその最適任者が存在したのである。

チューリップの父

その人物とは、十六世紀最高の、いや史上最高の植物学者であると著者が称えるカルロス・クルシウス（一五二六〜一六〇九）である。著者が紹介するクルシウスの人物像も興味深いが、それは措くとして、「クルシウスが初めてチューリップのことを知ったのは一五六三年であると考えられる。」（七一頁）クルシウスもまた魔力の虜となった一人である。彼が栽培したチューリップをヨーロッパ中に発送するようになると、一五七三年には神聖ローマ皇帝マクシミリアン二世から皇室植物園設立のために招聘され、宮廷のあるウィーンへ。到着後、皇帝に謁見するまで二年を要し、庭園建設着工にはさらに一年を要した。前述のビュスベックから一五七三年に贈られたチューリップの種を台無しにして意気消沈したが、後に大量のチューリップを咲かせることに成功する。ところが一五七六年にルドルフ二世が即位するとクルシウスは解雇された。先帝マクシミリアンがプロテスタントも受け入れる寛容な人物であったのに対し、ルドルフは狂信的なカトリック教徒だったからである。ルドルフは庭園を破壊して乗馬学校に作り替えてしまった。以後、クルシウスが宮廷からの誘いを受けることは二度となかった。

クルシウスの不幸はさらに続く。手元に残った自分の庭に植えたチューリップなどの珍しい植物を、彼は何度も盗まれるのである。「貴重な植物はヨーロッパ中を探してもほんの一、二カ所の庭園にしかなかった時代に、植物を狙う組織犯罪は特別珍しいことではなかった。現在のアンティーク泥棒のように、犯人は博識の目利きで、盗難品の価値を知り抜いている。（薄給の庭師に賄賂を贈って情報を収集したり、自ら庭師を装って潜入する者もいた。）努力しないで貴重な植物を集めては他人に羨望されるような庭園造りをもくろむ貴族や豪商が、たいがい植物泥棒の雇い主である。悪党たちは証拠を消そうともせず、警察は捜査しようともしない。そんな些細な犯罪で有力者を起訴する訳にはいかないのである。おかげでクルシウスは一度ならず、歯ぎしりするような悔しさを味わった。ウィーンのある貴族の庭を訪れたとき、貴婦人は誇らしげにクルシウスを花壇へ案内した。はたして花壇に生い茂っていたのは、すべてクルシウスの庭から盗まれたものであった」（八〇頁）。

このような事実を知った後では、私の個人的な趣味ではあるが、十七世紀オランダ絵画を代表する画題の一つである花を描いた絵画が違って見えてくる気がする。通常、「ヴァニタス（虚無）」というテーマで描かれる静物画は、たとえどんなに若く美しく華やかであるとしても、必ず死は訪れるという「メメント・モリ」、つまり「死を忘れるな」というラテン語の格言に繋がるものであるのに、これでは単なるヴァニティ・フェア（虚飾）ではないかと思えてくる。

一五九二年、六十六歳になったクルシウスは、植物愛好者の仲間たちから熱心に薦められて、レイデン大学に植物学教授として奉職する。第一人者がオランダにやって来た訳だ。任務は大学付属植物園の設立であった。植物園は二年後の一五九四年に完成する。

また筆まめだった彼は、晩年の二十五年間にヨーロッパ中の植物学者や園芸愛好家と膨大な手紙をやり取りしていて、斯界における生き字引のような存在となったのであるが、著者はそれがチューリップを驚異的な速度でヨーロッパ中に広めた原動力であったと論じている。ポルトガルのエマニュエル侯爵から「クルシウスは真の花の王者である」と讃えられたように、クルシウスは、「オランダで（おそらく全ヨーロッパで）ただ一人、チューリップを観察記録し、分類を行い、そして理解するだけの能力を備えた人物であった。」（九三頁）例えば、「色と形状別に分けて、三十四種類以上に分類した。また、いちばん早いのは三月に、遅いものは五月以降に開花する花を分類して、早生（わせ）、中咲（なかて）、晩生（おくて）と呼んだ。」（九四頁）こうしたクルシウスの功績によってチューリップについてのスタンダードがあらゆる面から形成されていった。もちろん「格付け」についても。そして人々の注目もさらに高まったのである。

さて、本書はこれよりチューリップ・ブームの萌芽そして拡大を執拗なまでに追ってゆく。「もっとも好まれたチューリップは、完璧な形をした花弁に目にも鮮やかな斑入りのものであった。実際、黄金時代のオランダでもてはやされた複雑で派手な色柄をもつチューリップは、国外でも珍重されていたのである。一六三〇年代の半ばには、独特の色配合をもつグループが十三種以上つくられていた。赤、黄、白など単色のクレレンから、一つの花に最低四色が現れる遅咲きの珍品、マーケトリネンまで、さまざまな園芸品種がある。クレレンは野生種と同一かかなり近い園芸品種であると考えられるが、マーケトリネン・チューリップはかなり複雑な交配を経て生み出されたものであろう。後者はおもにフランドル地方およびフランスで栽培されていて、チューリップ・バブルの記録には含まれていない。

オランダにおいて、この十三グループ中でいちばん人気があったのはローゼン、フィオレン、そしてビザルデンの三種であった。なかでも群を抜いて園芸品種の数を誇ったのが、白地に赤またはピンクの斑入りのローゼンであった。十七世紀初頭には、約四百品種のローゼン・チューリップが生み出されて命名された。」(九六〜九七頁)既に膨大な品種が生み出されていることがわかる。また「人々に求められている園芸品種を熟知している愛好家は、鮮やかな色の斑が白地を圧倒している花よりも、できるだけ微かに色を帯びた種類を好んだ」(九七頁)という。オランダ人の美意識についての興味深い記述である。エレガントなのである。これはチューリップ人気にとっては幸いしたと思われるが、本書を読み進んでいくと思いがけない事実が突き付けられる。

「オランダ黄金時代の園芸品種は、なぜあれほどまでに複雑で華やかな模様をなすようになったのであろうか?　答えは簡単かつ不気味なものである。花は病気におかされていたのである。チューリップ・バブル時に何百、いや何千ギルダーという法外な値段で取引されていた人気の新品種はみな、チューリップにだけ感染するウイルスにおかされていた。鮮やかで豊富な色合いを生んだのも、チューリップだけに現れて収集家を虜にした強烈な色模様も、すべてはそのウイルスのせいであった。」（九九頁）「チューリップは庭で栽培されるようになると同時に病気に弱くなったのである。人間の手で植えられた植物はみな、野生の環境では経験したことのない脅威にさらされ、野生種が免疫をもっている病気や、野生の環境では広がりにくい病気に感染しやすくなるである」（一〇〇頁）。

話をクルシウスに戻すと、彼はレイデンに来てからも、一五九六年の夏に二度、一五九八年の春にもう一度、盗難にあっている。今度は一度に百株以上を盗まれたらしい。ウィーンの時と同様に警察は事件として捜査しなかった。

結局、彼の人物像に触れなければならないが、クルシウスは気のいい人で、もっと言えばお人好しで、愛好家には、丁寧な手紙を添えて無料で株や標本を送るような人物なのであった。つまり純粋にチューリップの美しさを愛した彼は、同好の人々とそれを分かち合いたいと思っていただけで、チューリップの金銭的価値などは彼の範疇の外にあった。遭遇した事件は彼にとって耐えられない出来事であったに違いない。しかし当時のある年代記作家は、球根を盗まれたのは、彼が球根に法外な値段を付けたからだと書いたのである。「これは、まったく的外れな中傷である。……彼が球根を渡さなかったのは、球根を大事にしそうにない相手だけであった」のだ。「彼の落胆は大きく、いっさいの園芸活動を断念することを誓い、残された球根を友人たちに分け与えたのであった」（一〇二頁）。

ブーム到来

チューリップ・ブームの到来である。しかしそれは偶然などではない。起こるべくして起こったのである。やがてそれがバブルとなるには、それなりの理由があるのだ。その解明には、やはりチューリップが花の女王であるということが理解され、またそれがオランダ人の美意識に合致していることが理解されなければならない。

「チューリップは、トルコ人とオランダ人だけではなく世界中の植物学者によって、すばらしい色合いと無限のバリエーションを讃えられ、特別な花として奉られてきた。その評判は、一六〇〇年までに全ヨーロッパに伝わり、フランスの園芸家であるモンストルールは、人間が万物の霊長であり、ダイアモンドが他の宝石を凌駕し、そして太陽が惑星を支配するがごとく、チューリップは花の王者であると述べている。この喩えは重要な意味をもっていた。もし人間が神に選ばれた生き物であるとしたら、チューリップは神に選ばれた花であった」（一〇六頁）。

手前味噌で恐縮であるが、日本ではモンシロチョウの美しさを意識的には捉えない。日常茶飯の風景であるからだ。また自生する草木は、その品種と繁殖力の豊かさゆえに雑草などと呼ばれるが、これらが摘まれ、意匠を持って花器に活けられると、意識的な美の対象となる。今ではその活け方や見方も確立されている訳だが、神に選ばれた花チューリップは唐突にやって来たばかりだった。

にもかかわらず早くも十六世紀の終わりには、チューリップ愛好家の小さなグループがヨーロッパ中に生まれていた。

「チューリップは、すぐにオランダから南フランスへと広がっていくが、なかでも北フランスのピカルディの土壌は球根の栽培にもっとも適していた。一六一〇年頃のパリでは、花を贈ることが流行し、洗練された貴族たちは競って、宮廷の貴婦人にとりわけ珍しく見事な花を贈るようになった。贈られた花でいちばん人気があったのは、何世紀にもわたって薔薇であった。ところが、フランス宮廷の貴族は、花の女王である薔薇に代わるものとしてチューリップを見つけた。ほのかな気品をたたえる珍しい花は、すぐに宮廷の人気をさらうことになる。チューリップの流行は少なくとも若きルイ十三世が結婚する一六一五年まで白熱していたようである。王の結婚式で、貴族の夫人はみな切り花を胸の谷間の飾りとしてつけた。胸が大きく開いたドレスの襟元に留められたその花は、種類によるとダイアモンドに等しい価値があったという。」（一〇七〜一〇八頁）「宮廷貴族は移り気ですぐに別の流行を追い始めるが、宮廷のチューリップ・ブームは、パリの社交界に重要な影響を及ぼす。」「パリの流行はすぐに他の土地で真似されたのである。」「西はアイルランドから東はリトアニアの森を訪ねた旅人が、パリで十年も二十年も昔に流行したスタイルで着飾っている婦人を見つけたものである。」（一〇八頁）このようにチューリップ・ブームは瞬く間にヨーロッパ中に広まった。「そして一六二〇年には、どこよりもオランダ共和国でもてはやされ、ユリやカーネーションなどのライバルを凌駕していった」（一〇九頁）。

そしてオランダにもブームが到来する。「オランダにおけるチューリップ・ブームのきっかけをつくるのは、オランダ独立戦争中にネーデルラント地方から流れ込んできた難民や移民であった。」（一〇九頁）特にハールレムでは「一五八一年から一六二一年の間に二万八千人の難民が押し寄せて、街の総人口は一万二千人から四万五千人へと四倍にもふくれ上がった」（一〇九頁）が、言うまでもなくその中にはチューリップの愛好家も含まれていた。また「オランダ共和国の愛好家は他のヨーロッパ諸国とは異なって貴族ではなかった。裕福で活動的な住民の一群からなる「門閥市民」がオランダ共和国の新しい支配階級となり、チューリップの栽培を発展させた」（一一〇頁）のである。「もっとも重要なことは、チューリップが富と趣味のよさの象徴と化したことである。一五九〇年くらいから、オランダ共和国は、思いがけなくもヨーロッパ一裕福な国になりはじめていた。半世紀にもわたって途方もない大金がこの国に流れ込み、裕福な商人階級が大幅に増加した。美しいチューリップを手に入れようとふんだんに金をつぎ込んだのは、これら豪商であった。」（一一一頁）もちろんチューリップが寒さに強く栽培が比較的容易であったことや、球根で輸送が容易であったことなども理由として挙げることはできよう。しかし人々が美しいと思わなければ、また人々が欲しいと思わなければ、栽培や輸送の容易さなどは何の意味も持たないのである。またオランダらしくと言うべきか、門閥市民たちは「騎士のファッションを真似ることはあっても、一般的な服飾センスは簡素なものであった。」（一一五頁）とはいえ、着るものは質素であっても、富を誇示したいという衝動を抑えることはできなかったのである。東インド会社などから得た巨万の富は、豪邸や美術品のようなあらゆる贅沢品、そしてチューリップに使われたのである。

チューリップの王者

「最高品種」のチューリップと謳われるもののなかでもひときわ人気が集中したのは、センペル・アウグストゥスという園芸品種である。センペルは植物の属名。アウグストゥスはローマ皇帝の称号であるから、花の尊厳者とでも言うべき高貴な名前であろう。「センペル・アウグストゥスはローゼン系チューリップの一種であるが、それをたんに赤と白色の花と形容するのは、ルビーとエメラルドを赤と緑色の石と呼ぶに等しい。ひと目見た者はみな異口同音に、その類のない美を絶賛した。鮮やかな花弁（花被片）を引き立てるように、花茎はほっそりとしなやかに伸び、花弁に近い花茎は青みを帯びているが、花冠は白い。六枚の花弁の中央には細い炎状に紅が入り、さらに深みのある紅白が微かな薄片と閃光のように花弁の縁を彩る。センペル・アウグストゥスを実際に見た者は、その花を愛と美の女神アフロディテにたとえたという」（一二五頁）。

この観察はまったく大袈裟ではない。見たままを記している。というのはセンペル・アウグストゥスのカラー図版が本書表紙を飾っているからだ。「多くの愛好家に賛美され、書物や絵画に描かれ、チューリップ騒動と同義語となるほど関連づけて語られたセンペル・アウグストゥスであるが、現実に取引されたことはない。」（一二七頁）極めて希少で、球根一個で家二軒が購入できるほどの値が付き、取引には至らなかったらしい。「センペル・アウグストゥスが最初に記録に登場するのは一六二〇年代である。一六二四年の時点で十二株しか存在せず、その十二株はすべてアムステルダムに住む一人の男性が所持していたと年代記の作者であるファン・ウァッセナーは書き記している。」（一二八頁）「一六二三年には一万二千ギルダーでは十株分にもならない」とファン・ウァッセナーは記している。

一九九一年のユーロ導入以後もオランダでは二〇〇二年までこのギルダーが通用していた。現在はユーロのみである。私が滞在した一九九八年、一ギルダーは約七十円ほどであった。本書でチューリップ・バブル当時の物価を見てみると、計算し易さも考慮して一ギルダー約一万円と仮定すればよいのではないか。高いと思うなら、その八割から七割、反対に安いと思うならば二割から三割増しにすれば分かり易いと思う。すると一株およそ一千万円から千五百万円という途方もない金額になるのではあるが……。

既に常軌を逸した価格である。でも思い浮かべて欲しいことがある。現代の美術作品取引では作品に十億円を超える金額が支払われることは珍しくない。新発見されたレオナルド・ダ・ヴィンチの作品『サルバトール・ムンディ』に五百億円以上の値が付いたことは記憶に新しい。このように一部の富裕層が自らの道楽で取引をしている間はブームなど起こりはしない。しかしこれに一般の人々、つまり芸術に興味はないが金儲けに興味がある人々が参入してくると話は違ってくるのだ。「一六〇〇年から一六三〇年にかけて園芸業という信頼できる新手の業者がインチキな薬草採集者や薬種商に徐々に取って代わっていく。ほとんどは、オランダ共和国第二の都会であるハールレムに集中していた。砂混じりの痩せた土壌がチューリップ栽培に適合したのである。」(一三三頁) ここからハールレムを中心にチューリップ・バブルは拡大していった。彼らにとって最早チューリップの美しさなどはどうでもよいことであった。チューリップは単なる商品、それも滅法儲かる商品、つまり金儲けの道具に過ぎなかったのである。

オランダ人気質

ここで、質素倹約を重んじる合理主義者にしてカルヴァン主義者というイメージのオランダ人が、何故こうした投機的なことがらに首を突っ込むのかという問題が浮上する。著者は次のように述べる。「職人階級に属する者はほとんど一攫千金を狙っていたし、一部とはいえ球根に投資するだけの資本がある者も存在した。ギャンブラーにはそれほどの資本はなかったが、臆さずに全財産を賭けるという大胆な姿勢があった。オランダ社会の相反する二つの性格がここにうかがえる。つまり質素倹約に走る部分と賭博に走る部分である。この二つの性格は相反するようでいて、実際には相互に作用しながらチューリップ・バブルをあおりたてたのである」(一五四頁)。

「貯蓄熱同様、ギャンブル熱はあらゆる階層にしみ渡っていた。実業家ウィレム・ウッセリンクスは、儲けた金を金庫の肥やしにするオランダ人などいなかったと述べている。つまり裕福な商人であれば、危険を覚悟で東インド諸島への貿易船に投資をして運を試した」（一五四頁）。彼らは貴族と違って守るべきものなどなかった。それより儲けた金をさらに大きくしようと勝負を賭けるような人々だったというのである。「黄金時代のオランダで宝くじはいまと変わらぬ人気を誇っていたし、賭けに勝つことは庶民にとっての甘い夢であった。オランダ人のギャンブル好きは有名である」（一五五頁）として、面白いエピソードがいくつか紹介される。まずは旅行者がアムステルダム港で荷物運びのポーターを見つけるのは不可能であるという話。ポーターたちは、客から選ばれると、客の職業を当てる賭けをはじめるので収拾がつかなくなるというのだ。さらにはスペイン相手の独立戦争の最中にありながら、自国の勝敗を巡って賭けをする者さえいたというのである。

このようなオランダ人気質が博打のような取引に向かって行ったというのであるが、一九八〇年代後半の日本のバブル経済を経験した身としては、やはり金余りでその行き場がないほどの好景気、そして何の根拠もなしに、そうした状態が永遠に続くかのような雰囲気が社会を覆っていたことが根本的な理由ではないかと思われてならない。

チューリップ狂時代

さて、十七世紀前半、港町ホールンの中央にある石の壁に三輪のチューリップを刻んだ家で、チューリップ狂時代は本格化した。「石壁に刻まれたチューリップは、この家が一六三三年に珍種のチューリップ三個と引き換えに売られた記念に彫られたものであった。テオドス・フェーリウスという地元の歴史家が記した年代記によれば、一六三三年は西フリースラントにおいてチューリップの価格が最高額に達した年であった。チューリップ館売却のニュースが広まると、次にフリースラントのとある農家とそれに隣接する土地が、一包みの球根と交換された。」（一五八頁）「最初はゆっくりと上がっていった価格は、一六三四年になると突如急激な上昇を遂げた。一六三五年まで加速度的に高騰は続き、一六三六年の冬には、一週間あまりで価格が二倍になる球根も現れた。」（一五九頁）その後は、耳を疑うというのか、俄かには信じがたいほどの価格の高騰が起こったのだった。「チューリップ・バブルは、その二カ月後に頂点を極めることになる。一六三六年十二月から一六三七年一月、その狂乱の数週間に、全財産をチューリップにつぎ込む人々がオランダ中で続出し、急激な需要増加がさらに価格を押し上げた。当座は誰もが利益をあげたことから、ますます初心者の関心をそそったのである。」（一六〇頁）「もっとも珍重されたセンペル・アウグストゥスが急騰したのは当然のことで、一六三三年の五千五百ギルダーから、一六三七年一月には一万一千ギルダーへと跳ね上がった。その最終価格では、オランダ共和国で手が出せたのはほんの一握りの人々であった。その金額は一家族の衣食住を生涯の半分にわたってまかなえる金額であり、アムステルダムの運河沿いにある最高級住宅地にある大邸宅を、馬車置き場と二十四平方メートルの庭付きで買える金額であった。しかもアムステルダムの不動産は当時世界一高かった。」（一六〇～一六一頁）「取引で大金を稼いだ者たちは、親戚や友人にふれまわった。『花で金儲け』ができるという噂が徐々に広がっていき、一六三四年の暮れから一六三五年の初頭には、オランダ中で話題にされた。」（一六一頁）最早、バブルは行着くところまで行かねば、つまり水中で発生した空気の泡が海面に向かって上昇し、辿り着いたと同時に弾けてなくならなければ止まらないところまで来てしまったのである。

その要因は何であったのか。著者は、投機に賭ける決断をさせたものは何かと問い、二つの要因を挙げている。チューリップ・バブル時代は、オランダが十七世紀最悪の不景気から立ち直り、不況の後には、信じられぬほどの大好況が訪れ、数年のうちに世界の経済センターになった時代と見事に重なっている。当時オランダには世界中から富が集まっていた。また一六三三年から三七年にかけてはペストがオランダ中を襲った。ハールレムでは三五年の発生から三七年の終息までに八千人が亡くなった。三六年八月から十一月までの四カ月間には五千七百人が亡くなっているが、これはハールレム総人口の八分の一に当たる。これにより大きな二つの変化がもたらされた。一つは労働力の不足、つまり人手不足で賃金が上昇し、労働者に余剰収入が生まれ、もう一つは、人々が諦観と絶望感を抱き、投機へ走る機運が生まれたことである。

さて、チューリップ取引がバブルに変わるブームの頂点は、一六三六年十二月から一六三七年一月の二カ月間であった。そして一六三七年二月五日のアルクマールの自警団本部で開かれた競売こそ、チューリップ・バブルの頂点であり、崩壊への転換点であった。

まず、競売がはじまる前に、ある裕福な買い手が、アドミラル・ファン・エンクハイゼンという品種を五千二百ギルダーで、また人気の高まっていた薄紫の斑入りのブラバンソン二株を三千二百ギルダーで、さらにチューリップばかりかカーネーションやアネモネなどの珍しい球根を一万二千四百六十七ギルダーで購入し、合計二万ギルダー以上を支払った。これはアムステルダムのカイゼル運河沿いの大邸宅、いわゆるカナル・ハウスが二軒購入できるほどの金額である。二億円以上と考えてよかろう。この取引がこの日の雰囲気というか流れを決めてしまい、その日の契約では、ほとんど価値を認められないような品種にまで信じられぬほどの高値が付く有様で、この日一日の競売で九万ギルダーの契約が成立した。

バブル崩壊

そしてブームは終わりのときを迎える。「チューリップ相場の大暴落は、二月最初の火曜日に、ハールレムのある居酒屋で行われたフロリスト（園芸業者）の競売会から始まった」と本書には記されているのだが、カレンダーを調べてみると、この日は二月三日で、バブルの頂点となったアルクマールの競売より二日も早いのである。言うまでもなく現代とは違う情報網によるものだ。

予兆は前の年の暮れにはあったらしい。一部の買い手は、投資すれば確実に利益を得られるという自信をすでに失っていた。また先物取引については一六三七年夏前に価格が下がった場合は、合意した金額の一〇パーセントだけ支払って解約できると保証しなければならない契約なども発生していた。一月から二月に変わる頃には、どんなに熱心なチューリップ好きでも、事態が収拾のつかない方向へ向かって進んでいることを意識しない訳にはいかなかった」（二二四頁）のである。そのような状況下ではあるものの、取引はいつものようにはじまり、いつものように熱気の中で続けられるはずだった。しかし、いつものように二千五百ギルダーで売りに出されたチューリップに手は挙がらなかったのである。売り手は千五百ギルダーに値を落としたが、やはり手は挙がらない。千ギルダーとしても、やはり買い手はつかなかった。「そのときの居酒屋の雰囲気を想像するのはそう難しいことではない。」（二二六頁）「それからほんの二、三日のうちに、パニックはオランダ中に広まっていた。ありとあらゆる街のすべての酒場で、フロリストたちは一日か二日前には何千ギルダーという値で取引されていた球根が、いまやどんな値段でも売れなくなったことに気づいた。」（二二七頁）「いまや相場はブーム絶頂期の四分の一や十分の一に下落したというようなレベルではなかった。チューリップ市場そのものが、見事に消滅してしまったのである。」（二二七頁）球根の値はあっという間に下がり、一月なら五千ギルダーで売られた球根が暴落後には五十ギルダーで、五月には六ギルダーで取引された。「これらの価格からわかることは、たとえ運よく球根が売れたとしても、その値段はせいぜい元の価格の五パーセント、ときには一パーセント以下であったという事実」（二三〇頁）であった。

「それは実に大規模な暴落であった。仮に、チューリップ・バブル下にあった街すべてが同時に暴落を経験しなかった――とはいうものの、暴落は同時期に集中していたようではあるが――としても、チューリップ市場がすべて崩壊するまでには三、四カ月もかからなかったようである。となると一九二九年のニューヨーク株式市場大暴落とそれに続く大恐慌という、史上もっとも悪名高き経済危機よりもはるかに急速で大規模な崩壊であったことになる。ウォール街で株価が底値になるまでには二年以上もかかったし、それですら最高値の二〇パーセント以下にはならなかったのである。」（二三〇頁）但し、チューリップ・バブルの崩壊は市場全体に波及した訳ではなかった。チューリップ市場のみが忽然と姿を消しただけだった。オランダの経済的地位が揺らぐような出来事ではなかったのである。

チューリップ博士

ここでチューリップ・バブルに関する本書の記述の中に、私にとっては思いがけない出会いがあったので紹介しておきたい。それはある人物についてである。

「オランダ広しといえども、アムステルダムに住んでいたクラース・ピタースゾーンというきわめて当世風の医者ほどチューリップを愛した者はいなかった。」「ピタースゾーンはチューリップのために自分の名前まで変えてしまった。彼は文字どおりチューリップ博士と改名したのである。」「クラース・ピタースゾーンは、富豪層や流行に敏感な門閥市民層にチューリップが人気となりはじめた一六二一年に、自分の名前をニコラース・トゥルプ（トゥルプはオランダ語でチューリップを指す）に変えた。また彼は家紋にもチューリップを使用した」（二四四頁）。

上記の通り、トゥルプ博士もまたチューリップの虜となった人物であった。彼は単なるチューリップの愛好者として有名なだけではなかった。優秀な外科医としても、アムステルダム市長に四選された政治家としても有名であった。「厳格なカルヴァン主義者で、教義上の理由から、上流階級の結婚式ですらつきもので、オランダの伝統でもあった酒がらみの大騒ぎ……を軽蔑し、ある法案を提唱した。現在でもときおり、トゥルプ博士の名はこの法案との関連で話題に上ることがある。その法律とは、アムステルダムで一六五五年に発布された『奢侈禁止令』で、結婚式場披露宴の招待客を五十人以内にとどめ、その期間が二日を超えることを禁じる条項が含まれている。」（二四六頁）つまり彼はれっきとしたオランダ人であった訳だ。またレンブラントの友人でもあった彼は、ハーグのマウリッツハイス美術館に展示されているあの有名な絵画『トゥルプ博士の解剖学講義』のモデルでもある。こうした事実から彼が当時第一級の知識人、いやオランダを代表する文化人であったことは論を待たない。彼自身は純粋な美の愛好者であった。例えば「一六五二年に外科医のギルドから引退する際、トカゲが持ち手を昇ろうとしているデザインのチューリップ形の銀の酒杯を盟友に贈り、当時頻繁に開かれていたギルドの宴会での最後の乾杯に使ってほしいと希望した。だが公人としてのニコラース・トゥルプは、一六三七年を境に、自分と同じ名前をもつこの花と関連づけられることを嫌うようになった。プリンセン運河沿いの自宅前を飾っていた表札は取り外され、紋章は以前よりも目立たない位置に付けられるようになった。トゥルプ博士はチューリップ・バブルの行きすぎを恥ずかしく思っていたのである。」（二四六頁）彼のように裕福で純粋な美の愛好者だけがチューリップと関わっていたのであれば、バブルは起こらなかったはずである。

風刺文学・風刺画の登場

バブル崩壊後は、さまざまな風刺が生まれた。批判が冗談や揶揄話程度ならよかったが、「チューリップ業者がキリスト教の慈善と節度の精神を粗末にしていると厳しく非難」する文書を公にしたり、バブルにもっとも声高に反対していた人々の中には、「市場が崩壊する以前から、球根売買の批判を込めた文書を積極的に発行する者も現れていた。」（二四七頁）これらの小冊子（パンフレット）がオランダ中にばら撒かれたのであるが、その内容は、現代ならば週刊誌的な、あるいはスポーツ紙的なものであった。内容を記すと、「これらの出版物の大半は、品のない風刺文学であった。少数の例外を除けばそのほとんどが、ローマ神話の神々のなかでもっとも淫らな花の女神フローラを主人公にしていた。伝説によると、ローマ時代初期の有名な娼婦フローラは、不道徳な行為で得た多額の金を死後に街に寄付したため、これに感謝したローマ市民によって神格化されたということである。フローラは花の女神であると同時に売春の擁護者とされていたので、オランダの小冊子の著者は、バブル絶頂期に次々と持ち主を代えたチューリップをこのローマの娼婦にたとえるという、いかにもわかりやすい比喩を喜んで利用していたのである。彼らは読者にこう説いている。「フローラはいちばん多く金を出す男に身を売っていたため、値段はどんどん上がっていき、しまいには誰も長くそばにおけなくなってしまった。フローラはより金持ちで気前のよい男を求めて、次々と乗り換えていったが、そのたびにより贅沢な愛の贈り物を要求して相手を破産させていった。」（二四八頁）「不貞な伴侶、貪欲な愛人――それは完璧な暗喩であった。小冊子の作家にとって、チューリップ業者とは、娼婦の女神に身を捧げたあげくに裏切られる大勢の男たちである」（二四八頁）。

そして風刺画の登場である。ハールレムのフランス・ハルス美術館に展示されている『チューリップ狂に基づく寓喩』は、擬人化された猿たちが、チューリップ、いや一攫千金目当てに奔走・奮闘している様子を様々に描いた絵画である。ご馳走を食べながら取引の相談をする者、カタログを読みながら咲き誇った色とりどりのチューリップを眺める者、夢を果たして有頂天になっている者、追剥に襲われる者、大金を叩いたことを夫人に怒られる者、また夢破れて死んだ者までを作者ヤン・ブリューゲル（子）は描いている。作者名に（子）などと記しているので一言説明しておくと、美術史では、彼の父親をヤン・ブリューゲルと呼ぶのである。つまりこの絵画の作者は、あのピーテル・ブリューゲルの孫なのである。

こうした絵画は、同じくフランス・ハルス美術館に所蔵されているヘンドリック・ポトの『フローラの愚者の車』など、数え出せば切りがないほどに制作された。

元手もなく先物取引に手を出したために右往左往する者、栽培したチューリップの買い手がつかずに狼狽する者、あるいは損をなるべく少なくしようと奔走する者たちなど、当時、総人口二百万のオランダで、少なくとも五千人の人々がチューリップ取引に関わっていたと考えられるが、事態の収拾は、これまたオランダらしく合理的に進められた。

裁判所は判断を下さず行政にまかせ、行政は、損害を一所に集中させるのではなく、関係者に分担して背負わせるようにしたのである。痛手を負った人々は、ことの内容が内容であるだけに、自分だけが被害者であるかのように大声をあげる者など、ほとんどいなかったのではないか。誰にも言いたくないし、知られたくもないというのが本音ではなかったか。混乱は間もなく終息した。

チューリップ・バブルがオランダ人の心にトラウマとなったであろうことは想像に難くないが、一方で私たち現代人には、チューリップの球根が莫大な金額で取引されていた時代があったということ自体、何か馬鹿げた話のように、あるいは作り話のようにさえ感じられる。著者はその理由を、先に紹介した風刺文学の小冊子や絵画の影響によるところが大きいのではないかと言う。ホイジンガが『レンブラントの世紀』において、自国の全盛時代を概観する際に、この忌まわしい事実に触れていないのは、そのような理由によるのかも知れない。あるいはオランダ全体から見れば、事件はほんの些細な事象であると捉えたのかも知れない。事実、本書冒頭に掲げられた「オランダ共和国の国民は金持ちから貧民まで一人残らずチューリップに熱中したというのは本当か？　一個の球根に百万ポンド（約一億七千万円）相当の根がついたというのは本当か？　球根価格の暴落は、当時世界でもっとも豊かで高度成長を誇っていた全オランダ経済を不況に追い込むほどの威力をもっていたのか？　絶大な権力を握るオスマントルコ皇帝までが、たかだかチューリップに取り憑かれたばかりに王座を追われたというのは本当か？」という問いに対する答えは、すべて「いいえ」なのである。

チューリップ・バブルから、測ったようにちょうど百年後の一七三三年から一七三六年にかけて、今度はヒヤシンス・ブームが起こる。一七三七年に価格は急激に下落してブームは去った。最高価格もチューリップの三分の一程度であったし、投機家たちは百年前の歴史から慎重を期していたとも言える。

とはいえ、歴史は繰り返すのだ。百年といえば、三世代が経過し、実経験も記憶も言伝えも消えてなくなる時間のサイクルである。書物などの様々な記録も今日のように整備されてはおらず、誰もがすぐ手にすることができた時代でもあるまい。それに、いかに時間を経て歴史を刻もうとも、花の持つ魔力が人々を惹きつけることに変わりはないのだ。当時のヨーロッパには、観賞用の珍奇植物や有用な薬草などを求めて世界中を駆け回るプラントハンターと呼ばれる人々が既に存在していたのである。

これは二十一世紀の話ではなく、十七世紀の話である。「過剰な富の集中は、文化の爛熟を生む」というのが、この物語の教訓であろうか。

(『チューリップ・バブル　人間を狂わせた花の物語』二〇〇〇年・明石三世訳・文春文庫)

低地　オランダの都市美

はじめに

勤務する熊本市役所の海外研修制度に応募して、私はオランダ王国を訪問したのであるが、派遣決定後、周囲の人に報告すると、おおむね「風車とチューリップの国ですね」という反応であった。しかし私は、水との戦いに長い歴史を持つ低地国という印象を持っていた。何故なら私の興味の中心は、水環境を中心とする都市環境にあり、国土の四分の一が海面下に位置するという困難な風土にあって、風車やチューリップという印象に代表されるような美しい風景がどうして可能なのか、ということであったからだ。さらにそれとの比較によって熊本市の都市景観や住環境を捉え直したいと考えたのが応募の動機であった。訪問は一九九八年の秋から冬にかけてで、以下は、その研修報告である。

都市計画情報センター

アムステルダムで最初に訪問したのは、もちろんアムステルダム市役所である。旧市街地の中で、ひときわ目立つ箱型の巨大建築であるが、それはダッチモダンと呼ばれる建築の代表作だからという訳ではなく、ただその大きさと周囲の建築との違和から目立つだけの、飽くまでビジネスライクな現代建築である。いわゆるヨーロッパの旧市庁舎が持っているような威厳はまったく感じられない。アムステルダムの旧市庁舎は、実は現在の王宮である。アムステルダムが世界の商業センターだった十七世紀の荘厳な建築で貫禄に満ちている。それについてはまた触れるとして、市役所のモダンなガラス扉の玄関を入ると、まず目に飛び込んでくるのは、ロビーの中央に据えられた直径四十センチ高さ五メートルほどの巨大なシリンダーである。目盛りが刻まれたシリンダー内の水はゆっくりと上下し、最高点は一九五三年の大水害で海面から四・五五メートルの高さまで水位が上昇したことを示すようになっていた。シリンダーの後方の壁には、水面とアムステルダム一帯の位置関係を示すレリーフが嵌め込まれていて、市役所はほぼゼロメートル、オランダの国際空港であるスキポール空港はマイナス四メートルに位置することなどが、一目でわかるようになっていた。

標準水位はオランダ語では Normal Amsterdam Peil 略称N．A．P、英語では Amsterdam Ordnance Datum 略称A．O．Dと表示されていた。

受付に行き、自分の身分、知りたいことなどを伝えると、紹介されたのは都市計画情報センターであった。都市計画情報センターは本庁舎とは別棟で、歩いて二～三分のところにあると聞いた。驚いたことに、都市計画情報センターは、アムステルダム南教会であった。十七世紀前半、オランダの大建築を一手に引き受けていた観のある建築家ヘンドリック・デ・カイゼルの設計である。高さ七十メートルの尖塔を持ち、その中程に竣工年の数字が「１６１４」と金色で記されている。

入口扉の横に「都市計画情報センター」とサインがなければ誰もそのような場所とは思うまい。中に入ると打って変わってモダニズムの空間となっていた。外壁はそのままに内部だけを近代的にするのはヨーロッパの景観保存の方法であり、このセンター自体がその典型例となっていた。広い館内のほぼ中央には円形のカウンターが設置され、訪問者からの質問を受け付けていた。

センターの利用法について説明を受けた後、館内を見学。利用案内を読むと、都市計画情報センターの、つまり建築としての来歴についても説明があった。教会は一六〇三年から一六一四年にかけて建設され、市役所の情報センターとして用いられるようになったのは一九八八年からであり、通常はアムステルダム市の都市計画と住宅建設の展示を行っている。

第二次世界大戦中のドイツ占領下においては死体置き場となり、特に一九四四年冬になると状況は最悪となり、食料は底を突き生きる限界といった有様で、常時五十体ほどが並ぶ死体公示所の様相を呈し、その状態は一九四五年の八月まで続いたことなども記されていた。ヨーロッパにおいて、両大戦の傷を避けて通らないというのは鉄則になっていると言えるのではないか。

他にも、塔の内部には三十五個のカリヨン（鐘）があって、一九九三年にリストアリングされたこと、カリヨンは毎週木曜日十二時から十三時に鳴ること、そして塔には登ることができるが、それは六月一日から十月一日までの期間であることなどが、オランダ語と英語で記されていた。

受付カウンターの隣にはアムステルダム市の大きなジオラマがあり、それは備え付けのパソコンと連動している。ディスプレイの指示に従って操作を行い、とは言っても表示はオランダ語だったので係員に教えてもらいながらの操作であったが、現在進行中の都市開発エリアを探すと、ジオラマの一部分にレーザー光線が当てられ、具体的な場所を示してくれる。そして二階の展示スペースにはその計画の拡大された模型が設置されていると表示されていた。係員に連れられて別の地図の前に行くと、地図のいたるところに番号を記したピンが刺してあった。地図は二枚設置されていて、一枚には現在進行中の、もう一枚には計画中の工事が示されていた。進行中の工事地図の横には、大きな赤いレターケースがあり、たくさんの引き出しにはそれぞれ対応する番号が振られていた。進行中の工事番号が五十四番だとすると、五十四番と記した引き出しには、その工事名、業者名、金額、工期、そして完成図面など内容がぎっしりと記された該当工事の資料コピーが詰められていた。しかもそれは無料配布であった。そのコピーを元に、私はビル建設現場や石畳道路や下水道の改修工事現場など、多くの現場を訪問した。都市計画情報センターではその他、ウォーターフロント開発や市街地の再開発などについての計画や展示などが印象に残っているが、最も印象深かったのは？　と問われたなら、やはりセンターの建築自体だと答えなければならない。

さて、資料を元に現場訪問である。どの現場も最初は眺めるだけだったが、同じ場所を二、三度訪問すると作業員から話しかけられるようになった。その場でインタビューを試みたり、あるいは手書きした質問票を持参してインタビューを行ったり、忙しそうな時は質問票を手渡して、「明日また来ますから」というように手前勝手な研修を進めた。英語がオランダ人にとっても外国語であること、そして私の英語力の問題もあって、なかなか理解が深まらず、これでよいのかと思いながらの作業であったが、どうにかコメントをもらうことができたので紹介したい。

水環境について意見を得たかったのだが、オランダ、特に東北部においては治水に関する問題はほとんど解決されているとのことで、それより大きな都市問題は交通渋滞と移民の流入による治安の悪化だという意見の多さに驚いた。ウォーターフロントや下水の工事現場においてすら、そのような反応だったのである。意外な発見と言うべきか。一九九八年十月のことである。

水辺の美しさについても、特に美しくしようと思っている訳ではなくて、古い街を壊す訳にはいかないから、という意見が多かった。確かに市内に張り巡らされた運河は土地を形成する過程で必要だったものであるが、私のような訪問者は、それを目当てにこの街へやって来るのである。運河沿いの街並みはもちろん美しい。それとも新鮮で珍しいと言うべきか。しかしそれは古さ自体が、あるいは必要こそが美しさなのだと教えられているようにも思われた。

行政や作業員ばかりでなく、一般の人々、例えばオランダ入りして最初の一週間宿泊した十室にも満たない小さなホテルのオーナーにもインタビューを試みたが、やはり交通と治安が問題であるとの答えだった。

「行政は公共交通機関を利用して下さいというが、料金は値上げするし、時間通りには来ないし、車内ではスリも多発している。一方、自動車はどんどん性能が上がるし、燃費も良くなっている。これで公共機関を利用しなさいというのは矛盾ではないのか。しかし自分の商売から言えば、交通問題だろうが何だろうが、そんなことはどうでもよい。そういうこの街に世界中から人が集まってくれることが私の商売にとっては大事だから」と彼は言った。「けれどもそうした問題のせいで、客足が遠退くことは心配ではないですか？」と尋ねると、「それはそうだ」とのごもっともな返事である。

自動車については駐車場の確保が問題だという。隙間もないほど建築がびっしりと立て込んだ旧市街地では、駐車場を確保するのは容易ではなく、その代わりに路上駐車が認められている。それで運河沿いの至るところに縦列駐車の大行列を見ることができる。それによって道路は一車線を失うことになり一方通行となり、渋滞を起こす悪循環となっている。

自動車学校では運河に転落したときに備えての脱出訓練があることや、車には窓を破るためのハンマーが設置されていることなどを、日本のテレビ番組で見ていたが、運河にフロント部分を斜めに突き出して駐車する乗用車の群を見れば、脱出訓練は必要から行われていることを実感した。

有名な国立美術館やゴッホ美術館そして市立美術館とコンセルトヘボウ（コンサートホール）に囲まれたミュージアムプレーン（美術館広場）には六百台収容の地下駐車場が建設中であるが、これも焼け石に水の対策のように思われる。住民に尋ねると、「きれいな公園だったのに……」といった感想だ。しかし駐車場完成の暁には新たに美しい公園が再生するに違いない。

また、路上駐車のシステムについては、パーキングメーターの企画を統一できないか、といった意見もあった。オランダでは、バス、トラム（路面電車）、地下鉄の切符は前払い制で、ストリッペンカード（ストリッペンは条里という意味）と呼ばれる回数券を使用する。この回数券は国内すべての前記公共交通機関で使用できる。ところがパーキングメーターの料金や使用法は地域やメーカーによって異なるらしい。「交通標識などは全世界共通ではないか、行政は利用者のことをもっと考えて利便性の向上に取り組むべきではないか」という訳である。

都市としてのアムステルダム

アムステルダムは独特の形状をしている。地図を見れば一目瞭然であるが、中央駅を中心にして、円形に拡大するというのではなく、中央駅を要として南西に向かって扇型に放射状に拡大している。駅の裏は北海とアムステルダムそしてアイゼル湖を結ぶ大運河となっており、対岸までは海底を通る高速道路か水上バスを利用しなければならない。大運河の先の北部地域は住宅地として発展しつつある。

また、アムステルダム中央駅は、東京駅の手本であるとよく言われるが、それは伝説、あるいは神話の類の話である。日本とオランダとの歴史的な結び付きがこのような伝説を生んでいるのではないかとも思うが、真相は知らない。私たち素人は、両駅が似ていると漠然と思うのだが、これが専門家にかかると全く違った建築として捉えられることになる。私としては、知り合いに以下の話をしても、なかなか信じてもらえないので、少々長くなるが、ここは建築史の権威である藤森昭信東京大学名誉教授に登場していただいて、ケリをつけておきたい。


「東京駅はオランダのアムステルダム駅を真似して造られた、という話を耳にした人も多いと思う。

この話がいつごろから広まったかは知らないが、この伝説に長い間、僕は悩まされてきた。

（中略）

その言伝えがウソであることを縷々語りたい。

（中略）

たしかに一見して似てはいます。赤煉瓦造りで横に長いところは似ている。しかし、これはたまたまの結果としか言いようがないのです。

まず、赤煉瓦という点は、辰野金吾は自分の留学先のイギリスに学び、赤煉瓦を好んで使っており、その結果、同じく赤煉瓦を好むオランダ建築と似た。

横長という点は、これはもう大きな駅舎を終着駅型ではなくて通過駅型にするかぎり横に伸びるのは仕方ない。


そもそも、建物の姿の類似性を計るのに、赤煉瓦だとか横長だとかいう雑な物指しを当てるのが間違いです。トンボの足は六本だから、同じく六本足のチョウの真似をした昆虫です、というのに等しい。

たまたまの類似を排して建築の影響関係を正しく調べるには、様式（スタイル）の比較ということをやらなくてはいけない。

用語が専門的で申し訳ないが、とにかく比較してみます。

アムス駅　オランダ・ルネサンス様式の典型として一八八九（明治二二）年にサイパースの手でデザインされたもので、普通のルネッサンスと異なり、尖り（とんが）屋根や壁面の細身の意匠にゴシック様式の影響が強い。

東京駅　一九一四（大正三）年に辰野金吾の設計で造られたもので、大きくはイギリスのヴィクトリアン様式に属し、とりわけヴィクトリアン様式の旗手として知られたショウ（R.N.Shaw）流のクイーンアン様式の影響が濃い。

お分かりいただけたでしょうか。（ムリですね）。僕は、自分の専門知識に従い、〈東京駅はアムステルダム駅を手本にしていない〉

と結論を出しております」[1]

このように引導を渡した上で藤森氏は、東京駅には本当のモデルがあるという。ドイツ人バルツァーの計画である。そしてそのプランの存在を藤森氏に教えてくれたのは宇宙開発事業団顧問の島英雄氏であった。島氏は新幹線の生みの親として知られる元国鉄技師長である。その父、安次郎氏も国鉄の技師で、遺品としてこのプランを所蔵していたというのだ。物語は続くよ、どこまでも……という感じである。[1]

さて、そのアムステルダム中央駅の正面玄関を背にして街を眺めると、目の前には旧市街の独特な街並みが広がる。平坦なオランダの大地を見渡すと、左側にはシント・ニコラス教会が、中央では旧教会の尖塔がランドマークとなっている。しかし右側には目印となるような教会の大建築は見当たらず、ガラスと金属の現代的でシャープな外観のイビスホテルが目立っているくらいである。

湿地帯だったアムステル川の河口に無数の杭を打ち込みダムを作って居住空間を創造したのがアムステルダムのはじまりである。駅から南西に七百メートルほど直進したところにある現在の王宮までがアムステルダム発祥の地である。王宮前の広場はダム広場という。さらに駅から離れてゆくと、その先には駅を中心として運河の弧が幾重にもかけられている。運河には駅から近い順にシンゲル、ヘーレン、カイゼル、プリンセンというように名前がつけられている。この辺りはオランダの黄金時代である十七世紀にできた街である。

運河沿いの邸宅はカナル・ハウスと呼ばれ、東インド会社などで財を成した商人や投資家が住んでいた。ヴィレットホルトハイゼン美術館やファン・ローン美術館は、そうしたカナル・ハウスを美術館にしたもので、当時の大商人の暮らし振りを知ることができる。そしてカナル・ハウスは現在でも高級住宅である。

しかし金持ちばかりでは社会は成り立たない。カナル・ハウスとは別に、中層建築（三階建てから五階建て）が、肩を寄せ合って息苦しいほどにびっしりと並んでいる風景もアムステルダム旧市街地にはあるのだ。それらは皆、窮屈さゆえに上方を目指して背筋を伸ばしているように見えるが、よく見ると、かすかに前傾姿勢で立っている。そして破風には十センチ四方ほどのH形鋼が一メートルばかり突き出していて、その先にはフックが付いている。土地の狭いアムステルダムの住宅は、どれも通りに面したいがために、建物の間口が狭い。室内も有効利用したいがために通路や階段も狭い。だから家具などは窓から出し入れするのである。フックに滑車を装着して人力の昇降装置とするのである。家の傾きは家具が壁に当たらないための、またある程度の大きさの家具を運ぶための必要条件なのである。

三カ月間の滞在期間中、この作業現場に少なくとも五回は遭遇した。慣れた手つきで昇降はスムーズに行なわれていて、こちらが目を丸くしていると、荷物を降ろすとき、中間はかなりのスピードで、着地の一メートル手前で減速してソフトに着地させるという高度な技まで見せてくれることもあった。

話を街並みに戻すと、上記のように、まだ自動車のない時代に建設されたこの運河の街は、それゆえに現在は複雑な一方通行路が設定され、交通渋滞が慢性化している。その対策として、土地の有効利用という観点からも運河を埋め立てることができないか、という意見もあるにはあるが、それは二つの理由からできない。

アムステルダムが建設されるとき、沼地であったアムステルに無数の杭を打ち込み地盤を強化したのであるが、杭は水に浸かっていなければ腐ってしまうのである。もう一つは言うまでもないことだが、運河のおかげで世界中の人々が、この街を訪れるからである。

運河には観光ボートが行き交い、運河の交差点などでは渋滞しているのを見かけることもある。運河の終わった先は、弧のほぼ中央に一八八五年建築の国立美術館（ライクスミュージアム）がある。この界隈は博物館や美術館が並んでいる。さらに進むとフォンデル公園やレンブラント公園、サファルティ公園といった緑地帯になっている。

フォンデル公園は、全長二キロメートル程の公園であるが、幅は狭いところでは六十メートル、広いところでは六百メートルもある。これはグリーンベルトを何とかして延ばしていくために土地を繋いでいった結果であろう。町中にあるので、公園内にはトラムが通過する幹線道路も通っているが、そこは高架橋にして散策の妨げにならぬようにしてある。形はデコボコでも、都心において、二キロにも及ぶ緑の中を安心して歩くことができるというのは、金銭で示すことはできない大きな財産である。

緑地帯の次のエリアは、一九一〇年代に造成されたいわゆるアムステルダム派の集合住宅地帯であり、さらに先へ行くと近代的なビル群に出会うことになる。つまり、中央駅を起点として駅から遠ざかるに従って近代的になってゆくのである。街の成り立ちから当然のこととはいえ、それは古い建築や街並みを残したままで拡大していく都市の姿である。[2]

郊外に行くほど都市化する訳だが、それに比例して自動車のスピードも上昇し騒音等が出てくる。アムステルダム市を取り囲んで作られた環状の高速道路、通称A10は両サイドにグリーンベルトを設けて騒音緩衝地帯としている。

A10の外側はオフィスビルの建設ラッシュであった。一九九八年、オランダはバブル経済の最中なのだった。またスキポール国際空港や巨大な会議見本市施設であるRAI国際センターなども新しい施設なので当然のことながら郊外にあり、交通アクセスは極めて良い。そうした施設の近くには必ず高速道路の出入り口が設置されているし、バスやトラムもそうした大きな施設を基点として路面整備を行っている。都市としてのアムステルダムは常に進歩の中にあると言えるのではないか。

デルタ・プロジェクト

オランダの国土の四分の一が海面下に位置すること、そして東北部の治水対策が完了しつつあることは先に述べた。しかしオランダ西部の海岸線はライン河を含みヨーロッパの国際河川が集合して流れ出す大デルタ地帯であり、古くから洪水が絶えない。

最近では、一九九五年一月末からヨーロッパ北西部を襲った洪水で、オランダでは西部デルタ地帯を中心に二十五万人が避難した。「勧告が出た地域は、住宅地が堤防の上端より五〜六メートル低く、堤防が崩壊すれば瞬時に水没する恐れがあった」[3]。

このとき人的被害はほとんどなかったらしい。というのは一九五三年、南部ゼーラント州で堤防が決壊し、千八百三十五人の死者が出る大水害が発生し、この教訓から干拓地を水害から守る大工事が行われたからである。これがデルタ・プロジェクトであり、オランダ西部の河口にある大デルタ地帯に開閉式の巨大な堰を作り、水の流れを完全にコントロールしようとする壮大なインフラ整備である。[3]

アムステルダムからベルギーとの国境に近いヴリッシンゲンという美しい大聖堂で有名な町まで列車で二時間半、そこからバスに乗り換えて三十五分でデルタ・エクスポに到着。ここにはデルタ・プロジェクトの中心であるサージバリアと呼ばれる可動堰本体と管理センター、そしてプロジェクトを紹介する博物館がある。

サージバリアを歩行して見学したが、生憎の雨天で霧がかかったように煙り、その全体を見ることはできなかった。それほど巨大なスケールである。けれどもプロジェクトの全容は博物館で知ることができる。展示の中心は、サージバリアや連動する内陸部のバリアなどの開閉や調整池の存在によって見事に水がコントロールされている様子を示す直径五メートルほどの模型である。複雑に入り組んだ川の流れや土地の起伏が水の動きにどう影響するかを一目で見ることができる。音声による解説を聞きながら、模型に水が流入してサージバリアが閉鎖され干拓地を守る様子を見守る。バリアとポンプによる排水を組み合わせたシステムは複雑な動きをするが、コンピュータによる水位制御によって自動的に行われている。この工事は現在完成に近づきつつあるが、その分、内陸部の守りが予算的に手薄となり一九九五年のような被害も起こるらしい。[3] 一九九三年には河川堤防を延べ六百五十キロメートルにわたって強化する工事が計画されたが、産業や住民への補償や環境問題が障害となり凍結状態となっているとのことである。[3]

またオランダでは大規模災害が起こると、警察、消防をはじめ、医療チームなどボランティアも含めて数万人を動員できる体制が組織されている。一九九五年の洪水では軍隊も二千人以上が出動し、救援活動に当たったという。因みにオランダの人口は千五百万人ほどである。[4] これは一九五三年の大水害の反省の上に作られた「大災害発生マニュアル」に基づいて行われた行動である。広域災害では市長が州知事に支援要請し、州知事は事態を全国の警察を統括する内務省へ報告。これを受け、内務省が国防省や運輸省に支援要請するシステムとなっている。この指揮系統をまとめると、全国規模または複数の州にまたがる災害、事故が発生した場合は、内相が首相の下で全体を統括し、現場の最高指揮は同省の公共秩序・安全保障局長がとる。次に内相を補佐する国家調整センターが軍隊や関係省庁と調整を行った上で市町村への連絡、指令を行う。そこから被災地の市町村長は非常特権を発動し命令を下すことができることになる。自治体の防災意識は極めて高く、さらに一般企業も危機管理を徹底しており、危機管理マニュアルや救急処置を行うことのできる組織を企業内に持つことが義務付けられている。[5]

芸術と都市美

ピーテル・ブリューゲルを代表とする十六世紀から十七世紀にかけてのネーデルラントの風景画家たちが、風景美に関する一般市民の共通認識形成に与える影響は明白だと私は考えているが、美術館にはできる限り足を運び、それを検証したいというのは、私の主たる目的の一つであった。そして結果は予想をはるかに上回るものだった。

市立古文書館で一九九八年九月三十日から十一月二九日まで開催された「レンブラントの風景」と題された展覧会。ドローイングとエッチングによる風景画が並んでいたが、圧巻なのはレンブラントがアムステルダムの何処でどちらを向いてどの辺りを描いたのか、ほとんどすべての作品について明らかにされていることだった。彼が仕事をしたのはざっと三百五十年前である。しかし断定できるのである。それはアムステルダムが平らな地形である上に、スカイラインが三百五十年前とほとんど変化していないからだ。西教会や南教会など、尖塔の位置関係でだいたいわかるのである。

観賞者は、この絵はあの辺りを描いたものだ、あるいはこれはあの建物だといったことを、作品を指差しながら語り合っていた。絵画を補足するように当時の古地図が展示されていて、理解を助けていた。会場を見渡せば、親子や孫連れも多いし、皆、楽しそうである。そして年配者が実に熱心に作品について語っていた。

作品を見て気がつくのは、風車が多いことである。ランドマークである大教会に従うようにして並ぶ風車の群れは、花畑の花のようにも見える。説明を読む前に、これはどの付近を描いたものか、考える楽しみもある。企画次第で展覧会はこうも楽しくなるのだ。もちろんこうした企画に耐えられるだけのコレクションがなければ何もはじまりはしないが。

レンブラント・ファン・レイン（一六〇六～一六六九）は、オランダでは特別な存在であり、国立美術館の『夜警』をはじめ、レンブラントの暮らした家も美術館となっている。彼の名が付いた巨大な公園もあるし、像の立った広場もある。アムステルダムで最も高いビルは「レンブラント・タワー」という。まだあって、ドイツ行きのユーロシティーと呼ばれる国際特急列車には「レンブラント号」と名が付いている。王宮前のマダム・タッソー蝋人形館の玄関には『夜警』のフランス・バニング・コック隊長が飾られている。それ以外にもまだまだあるに違いない。芸術家がここまで社会の中に入り込むことは、日本ではないと思われる。

芸術愛好者の数は、日本とヨーロッパではまったく違う。その質まで含めれば問題にならないのではないか。またヨーロッパでは、有名な美術館で楽しげな企画展があれば、隣国からバスツアーで観賞にやって来る。そして学芸員の説明を熱心に聞いている。また小学校の授業には美術館訪問があって、車座になって絵画の印象を語り合ったりしている。騒ぐような子もいない。美術館の持つ雰囲気がそうさせるのであろう。出版事情にしてもそうだ。写真集や絵画集などの割付のセンスは素晴らしいと感じるし、グラフィックの色あいなども実物に肉薄しているが、日本の展覧会の図録には納得できないことが多い。

私が言いたいのは、芸術が日常と無縁の近寄りがたい存在であったり、インテリだけのための存在であるのではなく、一般の人々の生活の一部となってしっかり根を張っているということである。絵画を前に、「わからない」「難しい」と言っているのを日本ではよく聞く。現代美術についてはは私もそう思う。しかしまずは、「好きか嫌いか」である。そして芸術を楽しむとは、その作品の感想を自分の言葉で表現し、それをできる限り自分の印象の核心に近づけるということである。

具体的な絵画について述べてみたい。ブリューゲルほど有名ではないが、たくさんの冬の風俗を描いたことで有名なヘンドリック・アーフェルカンプ（一五八五〜一六三四）という画家がいる。例えば、彼の『凍った風景』（マウリッツハイス美術館所蔵）という作品には、のどかな冬の一日が描かれている。描き込まれた人物は約六十人。画面中央には、凍りついた運河の上でスケートをしている人々や橇に乗ってスキーをする者や楽しげに会話する人々が見える。画面左には、氷が割れて運河に落ちたカップルの姿が見える。これは恐らく不倫のカップルで、罰が当たっているのである。転んでお尻を丸出しにしている女性もいたりして、氷が張った日の愉快な情景が画面全体に描かれている。遠景には、茅葺屋根の家屋、そして風車や尖塔を持った教会といったネーデルラントのカントリーサイドの風景がぼんやりと浮かび上がっている。画面中央奥にはご丁寧に跳ね橋まで描かれている。

こうした風景は決して過去のものではない。現在もいたるところで見ることができる。この絵画を観賞するとき、人々はそれぞれの心の中の風景に重ね合わせているのではないか。そしてこうした観賞の積み重ねが、風景のあるべき姿を作り上げているのではないか。古き良き時代の風景というと、今では無くなってしまったものというイメージを持ってしまいがちであるが、そうではない。確かにこうした風景があったと感じるばかりではなく、こうした風景はいろんなところに残っていることを知るのだ。彼らは風景画を見て、自らが普段接している風景を見直すのである。あるいは見方を教えられ、見え方が変わり、意味すら変わることまであるのだ。少なくとも私はそうである。

例えば、九月末から十二月末まで滞在した経験から述べると、アムステルダムの季節の移り変わりは、夏時間を設定しているために急激だ。また秋から冬への変化も劇的で、運河の両サイドの並木の葉はあっという間に散ってしまう。明るい陽射しはどこかへ行ってしまい、空は鉛色が支配し、運河には氷が張る。そんな暗い冬にもアーフェルカンプの風景画のように賑やかな冬の一日が繰り広げられるのだろう。あるいはそれは願いであるのかも知れない。

こうした絵画の持つ力は素晴らしい。冬の風景はアーフェルカンプだけのものではない。他にもファン・デ・フェルデ（一五八七〜一六三〇）やファン・デル・ネール（一六〇三〜一六七七）そして有名なヤーコプ・ファン・ロイスダール（一六二八〜一六八二）など、多彩な作家の作品がオランダ全土の美術館には展示されている。

ヨーロッパの風景画を見ると画家がオランダ人であるかどうかはすぐに判るといわれる。それは空の面積である。平坦な土地に暮らす彼らの目は、いつも視野の三分の二を空が占めているからである。彼らはそのように風景を見ている。だから画面構成は彼らの風景の見方をそのまま反映したものなのだ。

またヨーロッパの暗く寒い冬、人々は集まって賑やかに宴を催して過ごす。クリスマスもそうしたものの一つであろう。そのような風景を描く代表はヤン・ステーン（一六二六〜一六七九）である。宿屋の主人だった彼の宴の風景は楽しい。画面の人物の顔は心の底から笑っている。度が過ぎている者も多々見受けられる。こうした絵画には、警句的なものも含まれていて、深酒や飲んだ上でのいろいろな問題を戒める内容のものもある。

作品として観賞されるに足ることが前提であるが、警句が文字以外で明確に示されているのである。観賞者たちは、たちどころにその絵画が何を伝えようとしているか、理解するに違いない。また私のような異邦人は、いったい何を表現しているのだろうかと考えることができるし、楽しい風景にただ同化することもできるのだ。

キリスト教発展の道筋の一つに、紙芝居仕立にしてイエスの生涯が紹介され、文字の読めない多くの人々がそれに群がったことがあるが、力道山の試合を放映する街頭の白黒テレビに群がる人々のごとき様相ではなかったか。こう言っても、若い人たちには意味不明であろう。

美術館の建築　都市の建築

次に述べてみたいのは、美術館として用いられる古い建築についてである。アムステルダム市内には多くの博物館や美術館がある。例を挙げてゆくと、海事、つまり海上に関する事柄を扱う国立海事博物館には、東インド会社の倉庫だった建物が用いられている。船舶の歴史、コンパスの歴史、大砲など武器の歴史のコーナーがあって、海戦を描いた絵画や航海道具などの膨大なコレクションが、一六五五年に竣工した煉瓦造り四層ロの字型の建物いっぱいに展示されている。またアムステルダム歴史博物館は、商店街を入った路地にある。入り口は小さいが、元施療院だった建物は中庭を持ち、内部は二十室を超える大きな展示空間になっている。王宮博物館は、ダム広場に立つ現在の王宮そのものであるが、もともとは、木造だった市庁舎が手狭に、そして老朽化したため、新しい市庁舎として一六四八年に石造りで建設されたものである。旧庁舎は、新庁舎ができて間もなく火災によって消失してしまうのだが、新庁舎建設の様子や、新旧両庁舎が並んでいる様子、あるいは運河が現在の中央駅前からダム広場まで一直線に延びている様子など、様々な構図の絵画が残っている。もちろん地理的な様子ばかりでなく、当時の風俗を知ることもできる。そうした絵画を基に王宮付近の当時の様子を再現したジオラマも展示されていた。

この博物館は不定期に開館するので、観賞するには運がいるが、建物の内装も当時のアムステルダム市がいかに栄えていたかを示す格好の証拠となっている。

王宮横の新教会では、『スペインの支配』という企画展が、マドリッドのプラド美術館の所蔵品を中心にして催されていた。教会の内部を展示空間としてうまく利用している訳だ。

こうした試みがアムステルダムに限ったことでないのは、よく知られている。例えば、パリのオルセー美術館は、元は駅舎であったし、フィレンツェのウフィッツィ美術館は、メディチ家の事務所であった。建物には建築されたときの用途による特徴があるが、それが美術館として生まれ変わる際には、別の意味を持って特徴として浮かび上がってくるのだ。東インド会社の倉庫が海事博物館になるのは、そうした歴史を実際に経験してきた建物であり自然の成り行きのように思われる。こうした歴史が美術館の品格となっていく。美術館は美の殿堂でなければならぬ。そこに並んでいる作品が三百年、四百年と時間を経てきたものである以上、その重みに耐えるような建物でなければならぬというのは私の持論である。どういうことかと言えば、美術館やオペラハウスへの入館には、日常空間から非日常空間へと移動するための儀式とまでは言わないが、気分の転換あるいは気構えが必要だと思われる。館内に足を踏み入れれば、そこは作品や指揮者が支配する空間である。その支配が可能になるだけの荘厳された空間でなければならないと私は思う。またその雰囲気が私は好きなのだ。

以上、述べてきたように、膨人な芸術コレクションの存在、そしてそれらを守る風土、また不便さを受け入れながらの古い建物の再利用など、機能面・経済面からだけでは説明はつかない。しかしこれが合理性なのだ。

こうした合理性が、例えば街並みという具体的なかたちに結実するのは一朝一夕のことではない。五十年、百年といった時間が必要であろう。自由が単なる気儘さやデタラメへと流れていくのでは意味を成さないように、美についても明らかな共通感覚が形成されていなければ、都市の統一的な美しさは達成されない。そうした西洋の絵画や古地図のような芸術的財産が、実は日本には、たくさんあるのではないか。そしてそれらをもっと上手に展示すべきではないのか。

アムステルダムは、街それ自身が方向性を持っているかのような風景なのである。新しいものと古いものとが混在し、お互いに自己主張しながら暮らしている、それは様々な人々が往来する国際都市の生活そのもののような佇まいである。

終わりに

三ヶ月の研修は、あまりに短かった。しかしそう言っては切りがない。二年居ても五年居たとしても同じことを言っているに違いない。一週間ですべてを見てくる人間もいれば、十年居ても何も見てこない人間だっているのだ。

具体的なことは何も言えないが、一つだけ言いたいのは、自らの住む町をもっとよく知らなければならないということである。それは共時的にも通時的にもである。ものを考えるとき、何も知らないでは考えることはできないからだ。物知りな方が有利であることは明らかである。ものを知っているにこしたことはないのである。

わが町、熊本について何かを考えようとするとき、私はあまりにも熊本のことを知らなさ過ぎる。三百年前の熊本の町がどのような佇まいだったのか、まるで知らない。現在の職場の辺りがどのような風景であったのか知らない。そしてどのような理由でどのように変化したのか、どうして現在の風景になったのか、何も知らない。私が知っているのは、私が何も知らないということだけである。未来を計画するのに未来だけを眺めても、それは単なる空想である。過去からしか未来はやって来ないのである。

例えば、安藤広重に東海道五十三次の版画がある。その東海道はいまや、日本の都市空間の代表といってよい地域なのだが、広重の連作に描かれているのは、たかだか百五十年から二百年前の風景なのである。これを百五十年も経てばこのくらいの変化は当然だと見るのか、僅か百五十年の間にこうまで変化するのか、と見るのではまったく感じ方は違う。あるいはこの変化の理由は何だ？この風景はどうして消えたのか？　と考えるのでなければ、昔はよかった、今の方がよい、と意見は分かれるだけであろう。何故、広重はこの地名入りの風景群を描いたのか？　写真のない時代、絵はがきの代わりに、という意見もあるだろう。しかしこれだけは言える。広重は自分が美しいと思う風景、行ってみたい、見てみたいと思わずにはいられない、あるいは自分にとっての大事な風景、そしていつまでも残しておきたい風景、言ってみれば、永遠の美、普遍の美として描いたのではなかったか。この版画の存在がそうしたことを私に感じさせるのである。こうした美術品の保管保存や展示についてヨーロッパは確かな伝統を持っているのだ。これが学ぶべきことの一つであることは疑いない。

註

1　藤森昭信『建築探偵雨天決行』一九八九年　朝日新聞社

2　『A city in progress-physical planning in Amsterdam』一九九四年

3　朝日新聞　一九九五年二月七日

4　熊本日日新聞　一九九五年二月五日

5　Netherland Board of Tourism. FAX information（No.3102）

参考文献

Simon H. Leive『The Royal Palace of Amsterdam in Paintings of the Golden Age』一九九七年　Waamders Publishers

石田壽一『低地オランダ』一九九八年　丸善

旅する21世紀ブック『アムステルダム』一九九四年　同朋舎出版

Guus Kemme『AMSTERDAM ARCHITECTURE』一九九六年　THOTH

栗原福也編『オランダ・ベルギー』一九九五年　新潮社

『17世紀オランダ風景画展』展覧会図録　一九九二年

『17世紀オランダ肖像画展』展覧会図録　一九九四年

Hanneke de Man『Boymans-van Beuningen Museum』一九九三年　SCALA BOOKS
『Landscapes of Rembrandt ~His favorite walks』一九九八年　THOTH
『マウリッツハイス美術館』一九九四年　SCALA BOOKS

水の都の風景

はじめに

運河の街、アムステルダムは水の都と呼ばれる。この何処にもない街は、しかし北のヴェネチアと呼ばれることもある。スウェーデンの首都ストックホルムやベルギーのブリュージュも北欧のヴェネチアと呼ばれることがある。またオランダのヒートホールンという小さな町は、オランダのヴェネチアと呼ばれる。けれどもヴェネチアが世界中のどこかの街に例えられることはない。それではヴェネチアこそが、世界一の水の都なのだろうか。

世界には様々な水の都が存在する。もちろん日本にも水の都が存在する。私の暮らす熊本市も水の都と呼ばれる。隣の福岡県には水郷柳川がある。熊本市は豊富な地下水自体が美しいのに対して、柳川市はクリークを張り巡らせた水辺の落ち着いた風景が美しい。

同じ「水の都」でもその意味するところは異なるのである。それぞれの水の都は一体どのような姿をしているのか。そしてその姿はどのようにして形成されたのだろうかと問題を掲げておきたい。

ヴェネチア

再び世界に目を向けると、やはり何といっても最初に思い浮かぶのはヴェネチアである。その水辺の風景は真似することのできない唯一無二の姿である。古くはゲーテやバイロンから現代ではフェルナン・ブローデルそして日本では須賀敦子や陣内秀信にいたるまで、この街に魅せられ、その魅力を解き明かそうとした作家は数知れない。どうしてこの街はこうまで人々を魅了するのだろうか。

それほどまでにヴェネチアが特別である原因は何だろうか。訪問して判ったことがある。それはヴェネチアには自動車が存在しないということである。それは、独特の景観を生み出すばかりか、他所の街とは異なる音の風景を作り出していた。水の都ヴェネチアの真髄は音にあると確信した。

ヴェネチアの一日は音の風景として捉えることができるのだ。夜明け前、まだ人々が眠っている時刻、かすかな波の音が石造りの壁に幾重にも反響して聞こえてくる。十五分ごとに鳴らされる教会の鐘の音、そして海鳥の声が夜明けを知らせ、やがて人々の足音と挨拶の声が聞こえはじめる。時折、モーターボートのエンジン音は聞こえるものの、それが聞こえるものの全てである。午後、シエスタと呼ばれる昼休みの時間ともなれば、各家庭は鎧戸を閉めて昼寝をする。子供たちの遊ぶ声がたまに聞こえる他は、ヴェネチアは静寂に包まれる。キリコの絵のような不安を感じることはないものの、静止した空間となってしまう。陽が傾いて再び人々の活動がはじまると、街には音が戻ってくる。遠くではゴンドリエの歌声や笑い声が聞こえてくる。そして夜の賑わいの後、人々の声はだんだんとなくなり、波の音と教会の鐘で一日は終わってゆく。

このようなヴェネチアの音の世界がどうして可能なのか、先に述べた通り自動車が存在しないというのが一番の理由であろうが、それはヴェネチアの出自に端を発する。もともとラグーナと呼ばれる沼沢地に無数の木製杭を打ち込んで作られた土台の上に建設された人工の小さな島々の集まりであるヴェネチアは、この島々を結ぶために架けられた、これまた無数の橋によってヴェネチア本島という一つの集合体となっている。小さな島々の間に張り巡らされた運河（カナル）を航行する艀(はしけ)やボートの邪魔にならないように橋は皆、中央が持ち上がっている。それで階段のついた橋となるため自転車さえも有効ではない。ヴェネチアが現在のような姿になった時代、当然のことながら自動車はまだ存在しなかった。都市国家としてヴェネチアが繁栄したのは今から五百年以上も昔であるが、上記の理由で、今もその姿を留めているのだ。この間、都市の更新は、交通手段の変化により二回だけ行われた。それは一八四六年に行われたイタリア本土とヴェネチアとを結ぶ鉄道のための架橋と、一九三二年にムッソリーニによって行われたリベルテ橋による自動車のための架橋である。しかし鉄道と自動車がヴェネチア本島に乗り込めるのはサンタルチア駅とローマ広場までの、つまりヴェネチアの玄関までである。訪問者はこの後、映画『旅情』でキャサリン・ヘップバーンがそうであったように歩くか、水上交通に頼るかのいずれかしかないのである。これは現代人にとってみれば大変な不便、不合理ではないか。運河に蓋をして道路を通し、路線整備を行うことは可能であろう。しかしそんなことが行われないのは説明するまでもない。

また秋から冬にかけて毎年何度も訪れるアクア・アルタと呼ばれる高潮の被害もある。人々はその度に広場や通りに渡された板敷きの仮設歩道を使用しなければならなくなる。このアクア・アルタの原因は様々な要素が絡み合っており、地球温暖化もその一つとされているが、この数年は毎年十回近く、また寒い季節以外にも被害が報告されていて、やがてヴェネチアは水没すると予測する研究者もいる。これも不自由不便極まりないことではないか。この問題についてもいろいろな対策が考えられている。しかし何も行われないのだろうと思う。そのようなことをしては、ヴェネチアはヴェネチアでなくなってしまうからだ。

一九〇二年七月十四日に突然倒壊したサンマルコ広場のシンボルであるカンパニーレ（鐘楼）。倒壊後すぐさま、元の場所に元の姿でという考え方の下に十年で再建された。ベリーニやカナレットが描いたサンマルコ広場の風景は甦った訳である。風景は十年で復元されたのだ。

中世以来、ヨーロッパの諸都市では、教会の塔を中心に景観形成が行われてきたが、新しい建物が計画されるとき、その建物が塔との関係において、人々の目にどのような景観として映るのかということが大きな問題であったはずだ。しかし塔がどう見えるように建物や窓を配置するのかということは、いちいち問題にしなかったのではないか。そうした事柄は気に留めずとも、景色から教会や塔を遮ることはなかったのではないか、と私は想像する。言ってみれば、それは空気のようなもので、大事ではあるけれども意識に上ることはなく、つまりごく自然にそのような景観形成が行われていたのではないだろうか。こうした事柄が美の基準を規定する。美を先取りしていると言ってもよい。とは言っても設計士が計画を立てる際は、新しい建築が出来上がったとき、どこからその建築を見て欲しいのか、またその建築から塔をどう見て欲しいのか、さらに塔と建築がどのように一つのフレームに収まって見られるのか、あらかじめ決められた地点からの景観構成を考慮する。ヨーロッパの都市においては、それは当然の前提である。くどい話になってしまったが、カンパニーレの復元はランドマークの再設定だったのである。

建築それ自体の美しさは作り出すことはできよう。けれどもこうしたビルトインされた縛りがあると余計によいものができる。そうではない。こうした縛りがあって初めてよいものができるのだ。周囲の環境をできる限り考慮して風景に溶け込んでいくという考え方。こうした約束事や常識が美しさを生み出す。風土が建築を作らせるといったイメージだ。

ヴェネチアについて言えば、ウォーターフロントという土地の持つ制約、それが美しい景観をもたらした。水上の人工都市であるがゆえに船が交通や輸送の手段となる。だからこそ家はなるべく水辺に近いほうが便利である。水辺から直接家屋へ入ることができればなお良い。そうした理由からヴェネチアの家屋はウォーターフロントへ正面を向けている。また弱い人工の地盤の上に乗っていることから建築の軽量化という縛りも生じてくる。それでヴェネチアン・ゴシックという独特の建築スタイルも創り上げられた。このように土地の個性が美しさを規定してゆくのである。

逆説的であるが、縛りがあればあるほど自由は生まれる。例えば予算もそうである。予算に制約はない、好きなだけ使ってよいと言われたら、なかなか良いものはできない。それでよいものを創るのは天才だけである。人は金を持っていれば、取り敢えず一番値段の高い素材や希少な素材を使いたがる。それは凡人の浅はかさである。自由にやってよいと言われて気儘に設計したのでは、自分勝手なものになってしまい、建築それ自体の美しさ以上のものにはならない。何処にもない街ヴェネチアは、その土地が持っている様々な縛りとそこに暮らす人々の意匠が、意識はされないものの、まれな水準で結合した結晶であると言えるのではないか。そうでなければこの不便な街に世界中から人々が集ってくるはずはないのである。

アムステルダム

ヨーロッパの南の水の都がヴェネチアなら北のそれはアムステルダムである。この水の都にもまた独特の縛りが存在し、それゆえに美しい風景が実現している。

オランダにはアムステルダムやロッテルダムのようにダムという言葉のついた地名が多く見られるが、いずれもダム、つまり堤や堰を築いて水の浸入を防ぎ、生活のための陸地を囲ったことに因んで、そのような名前が付いている。世界遺産に登録され十九基の現役の風車群で有名なキンデルダイクのダイクも同様の意味で、英語にすれば、キンダー・ダムといったところで、小さな子供の堤という意味である。

オランダの土地創りは独特で、まず沼地に杭を打ち込み囲いを作る。その内側に土を入れて遮断した後、葦のような背の高い植物の種を蒔いて成長を待つ。植物が水分を吸い上げてくれるのだ。丁度桶に貯まった水を抜くようなイメージで大地を生成してゆく。そこへ人々は生活空間を作っていく。けれども人々は浮かんだ桶の底に暮らしている訳で、桶の縁から外を眺めると水はもうそこまでやってきている。私たちは、こうした風景に馴染みがなく、いくら安全だと言われても、この逆転の風景を見てしまっては、安心はできない。

オランダは国土の四分の一が海面下に位置する低地国であり、ネーデルラントというのは低い土地という意味である。自分たちの暮らす大地は水面下に位置しているのである。従って当然のことながら生活空間ができた後も、水はじわじわと浸入してくる。そこで風車の登場である。風車は桶の底の水を風の力によって外に汲み出す役目を担う自動機械なのだ。従って風車の林立するオランダ独特の風景は、水との闘いから生まれたものなのである。最盛期には一万基近くの風車が活躍していたという。これが彼の有名なポルダーの姿である。

アムステルダムのはじまりは十三世紀。アムステル川の河口に住んでいた漁師たちがアムステル川とヘット・エイ（北海に通じる湾口であるゾイデル海の入り江）とが出会う場所にダム（堤防）を築いて住み着いたことに端を発する。

地図を見れば一目瞭然ながらアムステルダムの街は、北側に広がるヘット・エイと呼ばれる沼沢地を背景に、東京駅のモデルであるという伝説で有名なアムステルダム中央駅を扇の要として同心円状に拡がっている。扇の弧に当る部分には幾重にも運河が被せられている。ヴェネチアと同じように家屋は水辺に正面を向けているが、違っているのは運河との間に通りがあることである。つまり自動車が存在するのである。

アムステルダムの旧市街の家並みは独特の構造で、三～五階建で間口が狭く奥に長い鰻の寝床型の家屋が通りに面して櫛比（しっぴ）している。やはり水辺に面していたいがために、そして間口の広さに対して住居税がかけられるために、細身で似たり寄ったりの面積の家屋が並ぶという独特な家並みが形成されたのである。これだけで説明を終われればまるでアパートが整然と並んでいるかのような殺風景な印象を持たれるかもしれない。仮にそうだとしても建物は正面を水辺に向け、運河には人々の暮らすボートハウスも浮んでいる。通りには落葉樹の並木があり、道は石畳である。水辺にはベンチも置かれていている。周囲の環境で建物の雰囲気は随分と変ってくるのである。しかし実際は、家々はレンガ作りによる同じような構造でありながら、正面の装飾デザインの多彩さを競っている。特に破風には様々な種類があって時代によって流行があったらしい。階段状のものや釣鐘状のもの、置時計風のものや、その脇に渦巻き状の装飾を配置したものまである。それらがランダムに並んだり連なったりして、さらに大きなデザインを作り出している。壁の色なども自由に決めてよいのであろう、そこに何らかの規則を認めることはできない。しかしその自由さは水辺の景観や周囲の建築とのバランスを考慮した上での自由であることは言っておかなければならない。自由がデタラメへと流れるのではなくて美しさを創ろうという協調へと向っているからだ。

それはこの国の人々が力を合わせて水と闘ってきた歴史と無関係ではないはずだ。さらには人種の坩堝でもあるこの街に暮らす人々の常識なのかもしれない。そして生み出されたのが、全体として見たときの調和と微細に眺めたときの多彩さという美の構造を持つ水の都の風景なのだ。

ヴェネチアとアムステルダムの大きな違いは道路の存在だと述べたが、この街が最大の繁栄を迎えた十七世紀、もちろん自動車は存在しなかった。けれども当時の移動手段が馬車であったため、そのための通りが確保されなければならなかった。しかし現在の交通手段は自動車である。アムステルダムにも他のヨーロッパの大都市のようにトラム（路面電車）やバスの路線も整備はされているが、旧市街の運河沿いにまでは入り込めないのである。それで現在、交通問題はアムステルダムの最大の課題となっている。

内容にもう少し踏み込むと、運河に面する道路は幅が狭い上に並木通りとなっている。さらに並木の間は駐車スペースとなっているので旧市街地の道路はほとんどが一方通行路になっている。従って目的地近くまで来ても迂回路に入らなければならないといった有様で、地元の人でも目的地に辿り着くのは容易ではない。また先に述べた運河沿いの住宅はカナル・ハウスと呼ばれ、元々は東インド会社で財をなした商人などが住む高級住宅街で、現在もそうであるが、ここで暮らす人々はいくら金持ちであろうと駐車場を確保することは難しいのである。何故ならこの街並みを壊すことはできないし、この街を縦横無尽に走る運河に蓋をすることもできないからである。

またオランダでは郊外ばかりか市内中心部にもいくつもの跳ね橋があるのだが、この運河の街では船に通行の優先権があり、朝の通勤時間帯であろうと船が通るときには持ち上がった道路が元通りになるのを待たなければならない。跳ね橋は高速道路にすら存在する。皆、黙って待ってはいるものの、その渋滞たるや、あっという間に一～二キロの行列ができてしまう。そして自動車はこの低地国オランダでも増え続けている。このような理由から交通渋滞は大問題となっている。

それでもこの不便な街に人々は集まって来るのだ。これをどう説明すればよいのか。便利さが一番の価値である人はこの街にやっては来ないのだと答えることもできるだろう。けれども私だったらこう答えたい。「皆この水辺の美しい街が好きなのだ。そしてこの美しい水の都を見るために世界中の人々が訪れるのだ」と。

ヒートホールンと柳川市

オランダのヴェネチアと呼ばれるヒートホールンは、のどかな田園地帯の中に存在する長さ二キロほどに広がった人口二千五百人ほどの水郷の村である。福岡県柳川市と姉妹都市提携している。ヒートホールンでは七百五十年ほど前に入植がはじまり、入植者たちは納税のために湿地帯からピート（泥炭）を採掘した。その結果、多くの湖が形成されたという。そしてピートの運搬のために水路や運河が掘られていった。その運河沿いにオランダのヴェネチアは築かれたのである。

この水郷がヴェネチアと形容される最大の理由は自動車がいないことではないかと訪問してすぐ

に感じた。クリークに張り巡らされた橋はどれも木製で、しかも人が擦れ違うのがやっとといった幅しかない。中央が持ち上がっているのは主たる交通手段であるボートや平底船の航行を妨げないためである。やはりこの村が出来上がった当時、自動車が存在しなかったからである。

　クリーク沿いの道幅も同様に狭くて陸上の主たる交通手段は自転車である。ヴェネチア同様ヒートホールンにも独特の音の風景が存在した。例えば昼時のこと。自転車を漕いで自宅に戻る小学生や、荷台に幼児用の椅子を乗せた自転車を漕いで迎えにいく母親たちの姿があった。彼女たちは擦れ違いざま、スピードを緩めながら、一言、二言掛け合ってそれでも足りなければ次第に離れていく相手に大きな声で声を掛け、最後は互いに前を向いて、見えない相手に手を振って別れて行くのである。そうした人々の声の後に聞こえるのは風にそよぐ木々の葉音だけである。

　運河の両サイドに並ぶ家屋は、茅葺屋根に焦げ茶色になったレンガ積みの落ち着いた感じのものばかりである。レンガと板の違いはあるけれども日本でもほんの三十年位前までは見ることのできた田舎の風景である。各家庭は手入れの行き届いた美しい庭を持ち、運河から数メートル切り込んだところに屋根の掛かった小さな船繋（ふながか）りがある。こうした構造を持つ屋敷、そしてそれらを繋ぐ橋の多彩な連続は、まさに水の都の風景である。現在、建築規制により新築は一切禁止されているという。この水の都の風景はもはや完成されたのだろうか。

　この水郷と姉妹都市提携した柳川市もやはり水の都である。しかし、この水郷では一九五三年（昭和二八年）の西日本大水害の後、それまでなかった上水道の普及が進み、上水が容易に手に入るようになると、掘割の水を生活用水として使用していた住民の水への関心は薄れてしまい、沖端川の掘割は下水路の様相を呈するようになってしまった。管理主体である行政はとうとう一九八〇年（昭和五五年）に掘割の埋め立てを決定した。ところがその後、掘割は、そこに暮らす人々の力によって見事に再生したのである。その理由は住民の多くが、まだ美しかった頃の掘割の姿をしっかりと憶えていたことと、その活動の中心にいた人物の超人的な努力とによってであった。そして再生は単に掘割の再生に留まらなかったのである。森を湛えた水辺に、モノトーンの色彩の建築が木々の間から顔を覗かせるという水上からの眺めを考慮した景観が創造されていった。掘割の周囲にはモダンな建築であるにもかかわらず、白壁の建築が散見され、風景に見事な調和と落ち着きを与えている。まさに水の都の風景と成りつつある。こうした景観形成も、水辺の美しさをいかに引き出すか、あるいは演出するのかということを、そこで暮らす人々が自分自身で、そして周囲の様々な環境の中で考えたから実を結んだのだ。人間は自分の育った風土を離れることはできない。風土から美を学ぶのだ。

この水郷の再生に寄与したことは疑いのない北原白秋の詩歌集『水の構図』の「はしがき」には、こう記されている。

水郷柳川こそは、
我が生まれの里である。

この水の柳川こそは、
我が詩歌の母體である。
この水の構図、
この地相にして、
はじめて我が體は生じ、
我が風はなった。

風土がその人間の美意識を規定していくのだ。美しい水辺で育った人は幸せである。

熊本市

私の暮らす熊本市も水の都と言われる。しかしその内容はこれまで述べてきた都とは異なる。熊本は地下水の質と量において水の都なのである。とはいえ、その清く豊富な水は風景にも影響していて、熊本にも美しい水辺の風景は存在する。夏目漱石が「しめ縄や　春の水湧く　水前寺」と詠んだ水前寺成趣園や、中村汀女に「朝蝉や　水輪　百千　みな清水」と詠まれた江津湖や周辺の湧水地帯などである。それらの水の美しさと豊かさで熊本は確かに「水の都」たりうる。
しかしそれらが昔のものに成りはじめているのではないかと恐れる。その訳は、水前寺成趣園の湧水も枯渇の心配があると報告されたりするからだ。原因は、都市化による地面への水の浸透の減少や、高層建築の建設により地下水の流れが変えられ、水脈が破壊されたりすること、ビル建設の開始と同時に近所の井戸の水が濁りはじめたといった話もよく耳にする、そして膨らむ都市人口による水の大量消費などである。

こうした状況を憂いて熊本の水保全に努力している人もいる。柳川のように昔の水の都の風景を憶えている人たちである。成果が上がっているのかどうか、私はよく知らない。問題の性質上、一朝一夕に成果が見えるようなものでないことは承知しているが、それでも美しく豊かな水の甦りを願って活動は続けられている。しかしこうした活動は、それが一部の人のものである限り、なかなか成果は見えてこないだろう。

熊本市の水道局に勤める友人から面白い話を聞いたことがある。全国の水道事業者が集まる会議に出席すると、熊本市はいつも白い目で見られると言うのである。それは豊富で上質な地下水があるため、水不足の心配もないし、上水を作るための処理もほとんど必要のないことなど、他の自治体から見れば羨ましい限りなのだそうだ。

隣の県庁所在地である福岡市では一九七八年（昭和五三年）に給水制限二八七日という大渇水を経験した。その後も度々給水制限が行われたことを、報道などで私も見聞している。けれどもこの間、熊本市においては給水制限などという言葉は死語となってしまった。そして水前寺の東側にある熊本市水道局の健軍水源地の井戸からはどんな日照りの時でも冷たい地下水が、圧倒的な勢いで自噴し続けている。このような環境は、かえって人々を水から遠ざけてしまう。水の恵みは当然と考える環境の中では水への関心はもっぱら治水へと向けられることになる。熊本市も一九五三年の大水害で大きな被害が発生した。それ以来、熊本で水問題といえば水害対策のことになってしまったのである。

しかし近代の土木技術が行う治水から、美しさという大事な要素は抜け落ちてしまっている。それは風土から紡ぎ出されるものではなくて、どんな場所にも一律に用いられるものだからである。美しさということについては必ずどこかで考えておかなければ、風景から潤いは生まれない。

私の言う「水の都の風景」とは、自然と人間の営みの調和としての美しい水辺のことである。しかし近代土木技術にそのような芸術の要素はないのである。そしてその土木技術を通してしか水と向き合わなくなったと言える熊本市では、都市の水辺の美しさということや、水の都の風景といった話題には、なかなかお目にかからなくなってしまった。それは水が豊かであるが故のことであろう。けれども水が豊かであるからこそ水害も起こるのだ。それは恵みの源泉である世界一のカルデラ火山阿蘇山が、熊本方面に向って口を開け、白川の流れとなっているからである。われわれ熊本市民はその縛りから逃れることはできない。問題は衝突するけれども、その縛りから逃れようとして美しさを台無しにしているのではないか。風土と上手に折り合いをつけること、共生することが美しい風景に繋がるのではないか。

偉そうなことを言ったが、私には何の具体案も無いのである。ただ私はこうしたことを他所からやって来た人々、特に土木の専門家にとやかく言われたくない。これは熊本に暮らす私たちが考える問題だと思うのである。

絵画と水の都の風景

自由に美しい水辺都市を設計してみろと言われても、ヴェネチアもアムステルダムも柳川も熊本もできはしない。これまで土地や歴史の縛りと呼んできたものによって、それらは形成されるという私の考えを述べてきた。それではマイナスのイメージが強すぎるというのなら土地の持つ力と言い換えてみよう。その土地の持つ力と人間の営みとの間に共生関係が生まれれば、そこに美しい風景が誕生するのではないか。

二十年ほど前、わが国では大都市を中心にウォーターフロントの再開発がブームとなった。そのほとんどが工業技術を駆使したグローバルデザインであったが、土地の個性はほとんど無視されていたように感じる。圧倒的な近代工業技術をアピールした都会的な空間にはなっていたが、その美しさには音の風景は含まれていないし、人間が根を張って生活しているという生き生きとした感じはなかった。土地と人間との共生よりも近代技術による力の誇示に主眼が置かれていたように私には感じられた。そうした技術力の誇示を代表する都市はニューヨークである。その中心であるマンハッタン島もハドソン川とイースト川に囲まれた水辺都市といってよいが、その中心にあるセントラルパークは、僅かに残った樹木たちを高層ビルが長方形に囲い込んでいるという印象で、自然を完全なコントロールの下に置いたという、自然に対する勝利宣言のように見える。それは都市の傑作の一つではあるかも知れない。しかしそのような都市はニューヨークだけで充分である。

さて、水辺の画家といって私が最初に思い浮かべるのはカナレット（一六九七〜一七六八）である。ヴェネチア生まれの彼が生まれ故郷の風景を描いて大成功したことは言うまでもない。彼の絵画の注文主はイギリスの貴族たちであったが、それは当時のイギリスでは、貴族の子弟たちが家庭教師を伴い、長期に渡ってヨーロッパ大陸を旅行する所謂グランドツアーが流行していて、その記念にヴェネチアの風景画を欲したからである。彼に注文が集中したのは当然のことであって、彼の風景画はサンマルコ寺院やサルーテ教会などのランドマークばかりか運河の賑わいそのものまでも詳細に描き留めているからである。建物の軒下の人々の様子までが事細かに描き込まれていて、さながら記録としてのヴェネチア絵巻となっている。彼には『ヴェネチア十二景』という連作もある。そのおかげで私たちはヴェネチアの風景をカナレットが切り取ったように記憶するのだ。後に彼はロンドンに渡るのであるが、その後もヴェネチアの風景を描き続けることになるのだ。その理由は、例えばリッチモンド公爵からの依頼で、公の邸宅から眺めたセントポール寺院とテムズ川の流れを描いたのだが、その風景はロンドンというよりはヴェネチアそのものであった。セントポールはサンタ・マリア・デッラ・サルーテ教会の如く、またテムズはジュデッカ大運河のようにしか見えないのである。彼は十年間滞在した後ヴェネチアへ戻り、そこで一生を終えた。ロンドンに暮らしてはみたものの、そのときも故郷の水辺から離れることはできなかったのである。

水辺の人間ではないが建築家チャールズ・レーニー・マッキントッシュ（一八六八〜一九二八）もそうだった。彼は故郷スコットランドを離れてよい仕事をすることができなかった。ロンドンに出て仕事をしてみたが、彼の美意識は生まれ育った土地に規定されていたのである。そして彼は故郷においてのみ桁外れの業績を上げたのだった。

風景は、自然の中に人工の構造物が配置されてはじめて風景として捉えられるという思いが私には強く、そして風景の中に人物が登場して、人が集まる場所としての都市の風景は完成されるというふうに思えてならない。絵画にしても同じである。

十七世紀オランダの画家フェルメール（一六三二〜一六七五）の『デルフトの眺望』では、そのような共生の姿が完成されている。彼もまた故郷デルフトの水辺から離れられない人間であった。アムステルダムに暮らしたレンブラント（一六〇六〜一六六九）もやはりそのような画家であった。彼は風景画のドローイングを数多く残しているが、例えば、ヘット・エイと呼ばれるアムステルダム近郊の沼沢地から眺めたアムステルダム市街地の風景を描いた作品には、ランドマークとなる西教会や南教会といった教会の塔を中心にして太陽に顔を向ける向日葵のように風車が林立している。現在、風車は無くなっているものの、教会はそのままなので、その位置関係からレンブラントがどの地点からスケッチを行ったのかを推測できる。また、水路が複雑に入り込んでいるために迂回が日常茶飯であるような地形では、詳細な地図の作成は必須のことであったに違いなく、たくさんの古地図が存在し、併せて眺めれば鑑賞の助けとなるのである。レンブラントが自宅の窓から眺めた風景を描いた作品もある。レンブラントの家は現在博物館になっているが、当時、灯台の役目を果たしていたモンテルバーンズ塔は今もそのままの姿で残っていて、レンブラントによって三百五十年前に切り取られた窓枠の風景と現在の風景を、私たちは較べることもできる。これらを重ね合わせれば、風景を時間に沿って立体構成することもできるのだ。

美しい風景が今もこうして残っていることに人々は感銘を受ける。ずっとそこに存在し続ける風景に対する愛着も生まれるのではないか。美術館という特別な空間の中で荘厳された展示物というかたちで風景を見た人たちは、この風景をより美しく貴いと感じ、この風景を守っていこうと考えるのではないか。全員がそうだとは言わないが、そういう人は少なからず存在するに違いない。それが芸術の持つ力というものだ。絵画は人々を美しい風景へと誘うのだ。風景画家はそうした美しい風景を切り取って私たちに見せてくれているのである。

私が知らないだけかもしれないが、日本にはそのような水辺の風景画が少ないように思う。私が思う日本の水の都の風景は安藤広重（一七九七〜一八五八）の『名所江戸百景』や葛飾北斎（一七六〇〜一八四九）の『富嶽三十六景』や『江戸名所図会』に描かれた大都市江戸の水辺である。『富嶽三十六景』は言うまでもないが、それ以外の名所絵においても、富士山をどう配置するかが最重要課題であったように思われる。富士山こそは別格のランドマークであって、富士山をどう考慮するかというところから基本設計ははじまったのではないか。富士山とのバランスで水辺の風景も切り取られているように思われる。

例えば北斎の『江戸日本橋』では、川の両岸に白壁の倉庫が連なり画面中央やや左側に取られた消失点に江戸城が、その奥に富士山が配置されて風景は引き締められている。日本橋自体は画面の下方にわずかに欄干が描かれているだけである。しかしその上を通行する人々や荷車などの賑わいが描かれていて、日本一の往来の様子がよくわかる。水辺、ランドマーク、建築物、そして人々、これらが見事に配置されてこの風景は完成している。

「風景の切り取り」は極めて大事なことだと私は思う。物事を最初にどう見るかということであり、つまりは全てに先行するものだと思うからである。この切り取りは、風景と人間の共同作業ではないのか。人間は美しい風景がないかと目を凝らし、風景は発見してもらえるようにアピールしていなければならない。何が美しく何が大事かということがまったく規定されていないところから、その風景は選び取られるからである。こうして選ばれた風景たちが歴史に耐えるものとなって、美しい風景の手本として位置付けられていくのだ。カナレットやレンブラントの仕事は、そうした事柄に大きな貢献を果たしている。しかし広重や北斎はどうだろうか。彼らの描いた風景はせいぜい二百年前のものであるのに全く守られていないと言ってよい。倉庫群の先の富士山は林立するビル群に遮られて見ることはできないし、水辺も高速道路が橋の上に架けられて見る影もなくなっている。そうした手本となる絵画が人々の目に触れる機会も少ない。しかも彼らの審美眼を評価したのはわれわれではなくて戦後にやって来た欧米人ではなかったか。

水の都の風景は、そこに暮らす人と土地との共同作業だと言っておきながら私は土地の力を根こそぎにしようとする社会の中に生きているのである。変化しないのは水そのものの性質だけである。

水の都の風景、特にその形成について、それは単なる自由ではなくて、その土地の持つ力と人間の営みが調和して初めて美しい水辺の風景は出来上がること、またそれは一朝一夕に形成されるのではなくて、歴史の中で彫琢されて出来上がること、そして美しい風景のイメージの形成について絵画の果たす役割の大きさについてここまで述べてきた。

結論は平凡なものになってしまうが、数量化できないために人間にとって本質的な概念である美しさというものが、忘れ去られる、あるいは蔑ろにされるのは耐えられない。技術信仰の社会にあって、美しいということを常に考えておくことは精神の平衡をとるために必要なことである。その第一歩として自らの周囲の風景、毎日見て暮らす風景をそのような観点から眺めることができるようになれば、と私は思う。

帰国後の映画や展覧会から

映画「みんなのアムステルダム国立美術館へ」

二〇〇三年に閉館したアムステルダム国立美術館が、二〇一三年にリニューアル・オープンするまでを追ったドキュメンタリー映画『みんなのアムステルダム国立美術館へ』を、二〇一五年一月、観賞した。

一九九八年、三ヶ月間をアムステルダムで暮らした私にとって、アムステルダム国立美術館は、その間七度足を運んだ思い出の場所である。映画では美術館改修の様子ばかりでなく、きっとレンブラントの『夜警』やフェルメールの『手紙を読む青衣の女』、あるいはロイスダールの『ハールレムの眺め』などの名作を大きな画面で、リアルな色彩で見ることができるのではないか、さらには運河の街の風景なども紹介されるのではないかと期待して博多のＫＢＣシネマまで足を延ばしたのだが、期待は大きく裏切られた。〝現実は小説よりも奇なり〟であった。ドキュメンタリーはドラマとなっていたのである。期待以上の……とかいうレベルではない。私は忘れられない映画を見せてもらうことになったのだった。

どういうことか。まず改修の当初案では、美術館は二〇〇三年に閉館し、二〇〇八年に再開館予定であった。しかし実際は、さらに五年という月日を経て、二〇一三年、ようやく再開館に漕ぎ着けたのである。

それは何故か。改修計画案の発表後、市民団体の反対に出くわして当初案が頓挫、さらにたくさんの問題も持ち上がって計画は暗礁に乗り上げてしまったからである。この映画の監督ウケ・ホーヘンダイクも「100年の歴史をもつ美術館の建物と職員たちが、この記念的な改修でどのように蘇るのか。それを記録することが私のゴールでした。ところが物語は予想とはまるで違う方向へと転がりました」と語っている。

物語は、建築改修計画案が発表された後に、サイクリスト協会から猛反対が起こったところからはじまる。問題となったのは、美術館のエントランスで、これまでは公道としてトンネル代りの通路として利用されていたのが、改修案では狭められて通行しにくくなるというものだった。

美術館、サイクリスト協会、地元委員会のメンバーなどが参加した会議で、計画の責任者であるロナルド・デ・レーウ館長は、「国際的芸術都市としてのアムステルダムの地位を守るため、よい建築を作りたいとは思わないのか」と発言。それに対しサイクリスト協会側は、「シャレた入口を見に来るのではなく、絵を見に来るのだろう。芸術、芸術、あるいは文化、文化と言うが、美術館を通る自転車道があることの方が、よほど文化的ではないのか」と反論。地元の委員会はサイクリスト協会に賛同してしまう。その後、様々な代替案が提出されるが、反対派は、「一日に一万三千人が利用する公道を潰す気か」と断固として譲らない。

当事者たちのそれぞれの表情が強烈である。自分もその場にいるような気分になってくる。素晴らしい美術館の完成を願う私は、当然のことながら館長や設計コンペに勝ったスペイン人建築家クルス&オルティスのように消耗して溜息を吐きそうになる。しかし彼らの憔悴の表情に、反対派は嬉々として満足の笑みを浮かべるのだった。

「これは民主主義の地獄だ」とはクルス&オルティスの言葉だっただろうか。館長も同様のことをカメラに向かって吐き捨てていた。改修工事は行き詰まり、とうとう館長は「忍耐の限界だ」と辞任してしまう。結果を知っているにも拘わらず、どのような結末になるのだろうかと不安になってしまうほどだった。

日本で同様の計画があれば、工事に取り掛かる前から、すべては管理の下に置かれ、よほどのことがない限り変更などはない。手続き上の瑕疵がないようにとヒアリングなども、たとえ形式的であろうと事前に行い、あらゆる問題は法的に取り除かれてゆくからだ。

さて、俄かには信じがたいこのような不毛な実務経過と並行して、当然のことながら学芸スタッフたちは、展示品の修復や新たな購入など再開館へ向け、作業を進めている訳で、ホーヘンダイク監督は、「100年の歴史をもつ美術館の建物と職員たちが、この記念的な改修でどのように蘇るのか」という当初の目的も、抜かりなくフィルムに収めていた。その中でも特に印象的だったのは、改修にともない新設されるアジア館の東アジア美術コレクションの責任者となった若き学芸員メンノ・フィッツキ氏と高さ二メートトを超える阿形吽形揃いの金剛力士像のドラマである。

この作品の収蔵を巡っては、デ・レーウ館長が大阪駅から電車に乗り、随分と山奥にある元の設置場所を訪ねるシーンも挿入されていたが、ネットで調べると、そこは島根県の岩屋寺だとわかった。それにしてもフィッツキ氏は、どのようにしてこの迫力ある金剛力士像の存在を知ったのだろう。それについてもネットには、物騒で面白い記事が出ていたが、それはさておき、日本から送られてきた金剛力士像の梱包が解かれるシーン。丁寧な養生の中からその姿が現れたとき、フィッツキ氏は興奮して目に涙を溜めていたのであるが、その姿は強く印象に残っている。また、力士像が収蔵庫に収められている間、フィッツキ氏が「こんな暗闇の中、見る人もいないなんて、早くみんなに見せたい」と見上げると〝ありがとう。私もそろそろ出て行きたいのだが……〟と力士像は語っているように見え、またあるときは〝お前が元気を出さなくてどうする〟と気合を入れているようにも見えた。そして、いよいよ展示室でのお披露目の日。なんとフィッツキ氏は、大覚寺から僧侶団を招いて盛大な開眼供養を執り行ったのである。晴れ晴れとして見つめるフィッツキ氏に対し〝よし、あとはまかせておけ〟とばかりに力士像はポーズを決めているように見えた。この会話場面のシリーズは、本作品のハイライトの一つであり、素晴らしい。

山奥の古刹の山門で荒れ放題になっていたものが、こんなに大事にされてよかったと思う一方で、我が国にしてみれば、文化財流失の失策ではないか、といらぬ心配をしたことも思い出す。

もう一人、デ・レーウ館長の辞任後、新館長候補の一人でもあったタコ・ディベッツ氏。彼は十七世紀担当から館全体のコレクション・ディレクターに昇進。自分が本当にしたかったのは館長職ではなく、この仕事だったと精力的に取り組むが、現代作家の作品購入で失敗する。現代アート部門の展示の目玉にしたいと考えて、サザビースのオークションに臨むのであるが、長期化して膨らむ一方の改修予算に遠慮して、公立の美術館だからと購入予算を低く抑えたため惨敗したのである。美術館の執務室からオークション会場に派遣した担当者に電話で指示を出し、予算限度額を一度だけコールさせたが、その後も金額はリズミカルに上昇し続けた。落胆する彼の耳には次から次へとオークショニアの声が畳み掛けてくる。電話から聴こえてくる金額にしばらく呆然としていたが、やがて諦めがついたというように「もういいです」と語った姿も印象に残っている。

作品をいかに理解しているか、いかに好きであるか、いかに貴く思っているか、といったことと、その作品の所有には何の関係もないのである。金(マネー)が唯一の尺度なのだ。市場主義の無慈悲を見る思いがした。テレビ番組などでは見慣れたオークション会場の風景であるが、実際はこのような流れと雰囲気で進行していることがわかり、興味深かった。

現在アムステルダム国立美術館「オランダの海外進出」の部屋に展示されているはずのファン・デ・フェルデの『スペイン無敵艦隊との海戦』は、準備段階で展示スペースが思い通りに確保できないことがわかり、展示作品を選び直す過程でディベッツ氏が拾い上げた作品である。改修されても展示スペースは充分とはならなかったのである。

収蔵庫で品定めをするディベッツ氏。壁にぎっしりと収納された可動棚が引き出される度に現れる絵画たち。可憐な少女を描いた絵画は「私、寂しいわ」と、また集団肖像画の中の人物たちは「私も展示してくれないかね」と語っているように思われた。絵画たちはそれぞれにアピールするのだが、拾われずにまた壁に押し込まれていく。絵画たちは、困ったように、悲しそうに去って行くのだった。

私がアムステルダムに滞在していた一九九八年の暮れ、旧・美術館の地下には収蔵庫のような研究者用ギャラリーがあった。「私は研究者ではないのですが」と入口で言うと、パスポートを持って来れば入れてあげるとのこと。八名までに限って入場することができ、定員に余裕があれば、どうぞ、どうぞ、と入れてくれた。これは極めてオランダ的といえる経験であった。

カルロ・クリヴェッリの『マグダラのマリア』をはじめとして、私も知っているような通常なら当然展示されているべき作品も多かった。隣接するゴッホ美術館が新館建設および改装中で閉館していたのに伴い、ゴッホ作品の多くが国立美術館に仮住まいしていたことも影響していたと思うが、展示スペースは充分ではなかったのであろう。そんなことも思いながら、画面に見入ってしまった。

美術館の管理運営には、美術学芸スタッフばかりではなく、広報からセキュリティや清掃などの建物管理関係など多種多様な職員が関わっている。美術館の管理人レオ・ヴァン・ヘルヴェルンもその一人で、彼は、壁のひびやドアの状態など何でも知っていた。美術館の改修中、彼は自らの家が壊されていくのを見、そして新しい家が出来上がっていくのを見ていたのだ。彼は、図面や数字には表れない、言ってみれば建築の人格や人柄のような特徴やクセ、例えば、追加工事や修理によって変更された間取りや天井裏のダクト類など、建物の病歴や健康状態のようなことまで知り抜いていた。彼のようなスタッフがいるから、改修工事は仕上がってゆくのである。新美術館が完成して、現場事務所が取り壊されるとき、「五年間、ここは俺の家だった」と言って彼が目頭を押さえていた場面も印象に残る。その事務所も日本でよく見かけるようなプレハブのそれではなく、黒塗りの木造建築で、破風には白の浮彫でアムステルダム国立美術館と記された堂々たるものだった。

話を実務に戻すと、設計案は二転三転の上、サイクリスト協会へ譲歩する形で決定。局面は美術館の内装やディスプレイの打ち合わせへと進む。内装を担当したウィルモット社は、ルーブル美術館の内装やディスプレイも手掛けた名門。ところがヴィム・パイベス新館長を交えての打ち合わせの席で、あろうことか社長のウィルモット氏は舟を漕ぎはじめたのである。館長がアゴを突き出して、「眠っているぞ」と言うと、他の出席者は呆れ顔で笑いを浮かべた。

次の会議にウィルモット氏は現れなかった。「三億六千万ユーロの大事業の会議に責任者がこないとはどういうことか」と館長。ウィルモットの担当者マルレーン・ホーマン女史は「彼には彼の時間があるのでしょう」と取り合わない。その会議は「会議は踊る」を地で行く感じで、それぞれがただ言いたいことを言い合うだけだった。彼女は会議には参加できず、他所をむいているのが精一杯だった。会議後にマイクが向けられると、「できることならこのクライアントには関わりたくない」と涙を浮かべていた。

このような場面を、撮影はともかく放映してよいものかどうか。私はいわゆる「ヤラセ」ではないかとさえ思った。しかし彼らは俳優ではない。

ウケ・ホーヘンダイク監督が述べている。「撮影を成功させるためには、美術館のスタッフや学芸員、建築家たちから完璧な信頼を得ることが不可欠だと私は気づきました。多くの時間を費やして彼らと会話をし、年月をかけて関係を築き、ついには信頼を得たのです。この関係性のおかげで、私たちクルーはほぼ全ての撮影を許されました。ショベルカーの最初の掘削から壁の色を決める経営陣の会議の場、業者の入札や一七世紀オランダの傑作絵画の修復まで全てです」。記録されたフィルムは二七五時間におよび、それを筋の通った九十分間の映画に編集するのに七カ月以上を要したと彼女は語っているが、その成果の中から私が憶えている場面を二つ紹介する。

計画案の変更により、地面を深く掘り返したために水が溢れ出た場面では、観客の多くは、屋根も取り払われ雨曝しになった上に、計画が頓挫して放ったらかしになったために水溜まりができていると思ったに違いない。しかし元々は湿地で海抜ゼロメートル地帯であるアムステルダムの地面を掘れば、たちまち出水することは、そこに暮らす者にとっては常識であること。また、美術館の職員同士の会議や会話ではオランダ語が用いられるのに、そこに外国人の関係者、それはフランス人であったりスペイン人であったりするが、彼らが加わると自然と英語になるのもオランダならではの光景だと懐かしく感じた。

さて、作品の入れ物としての美術館の改修が終わったとき、リニューアル・オープンまでは数十日しか残っていなかった。数千点に及ぶ展示は、猛烈な勢いで、けれども作品の取り扱いは丁寧に慎重に行われ、作業が進められた。

そして二〇一三年四月、ベアトリクス女王の臨席を得てのリニューアル・オープン・セレモニー。レッド・カーペットではなく、オランダらしくオレンジ色のレンガの上、整列した近衛軍楽隊を従えた女王が台上のスイッチを押すと、美術館の屋根から四本の噴水ならぬ噴煙が上がった。もちろんオレンジ色である。女王のはじける笑顔。横に控えていたヴィム・パイベス館長もそれを見て表情が崩れた。

この間の苦労はどこへ行ってしまったのか、と思う間もなく場面は、新しい壁面に展示されたレンブラントの『夜警』へ。この絵は昔も今も美術館の中心、宮殿で言えば玉座の位置に展示されている。ズーム・アップされたフランス・バニング・コック隊長の顔。それから絵の全体が映されると、「さあ、行くぞ」という彼の掛け声が聴こえた。私は立ち上がって「はい」と返事をしてしまいそうだった。

それから毎日一万四千人余りが入場するという開館後の館内の賑いや職員たちの満足げな顔、そして今は晴れやかな表情に見える団体肖像画に描かれた人々、またエントランスを走る自転車と館内の人々の往来などが、ほんの数秒ずつ紹介されるエンディング。あまりにもあっさりしているが、これもまたオランダ的だった。言いたいことを言ってしまえば、あとは何もなかったかのようにしているのだ。たとえ予定の倍の時間がかかってしまったとしても。

「ゴッホ」展

福岡県太宰府市の九州国立博物館で二〇一一年元旦から二月十三日まで開催された「ゴッホ」展を鑑賞した。

フィンセント・ファン・ゴッホ（一八五三〜一八九〇）。おそらく現在の美術市場で最も高い値段が付いていると思われるこの画家は、一般の美術愛好家には最初から大天才であったかのように思われている節がある。しかし『自画像』や『ひまわり』などに代表されるような、いわゆるゴッホらしい絵画を描いたのは、一八九〇年七月に三十七歳でピストル自殺を遂げる前のほんの数年間である。それよりもゴッホが画家を志したのは一八八〇年、二十七歳の時であり、絵を描いたのはわずか十年に過ぎない。その十年の間にご承知の通りの膨大な作品（およそ千点）を残したのである。本展は、サブタイトルにあるように、彼がいかにして芸術家となったのかを、作品や手紙そして影響を受けた作家の作品などと一緒に歩んでみようというものであった。

会場の入口には、一八八七年、すなわち死の三年前に描かれた『自画像』が掲げられていた。誰もが知っているあのゴッホである。しかし展示室に入って最初に向かい合った『秋のポプラ並木』という作品は、一八八四年ゴッホが三十一歳のときに描いたものであるが、何も知らされずに見たのでは凡庸な絵画のように見える。けれどもゴッホの絵画だと知っているわれわれは、この作品の中に何らかの非凡を見ようとするのである。このような鑑賞の傾きは確かにあるだろう。しかし次の展示で幻想は打ち砕かれる。それは彼が絵を描きはじめて間もない一八八〇年、二十七歳の年に描かれた二点の模写であった。ゴッホの模写と手本とが並べて展示されていた。手本となったのはハンス・ホルバインの『ヤーコプ・マイヤーの娘』とジャン＝フランソア・ミレーの『掘る人』である。ホルバインが描いたプロフィールの美しい娘は、気品に満ち溢れ、彼女の息遣いさえ聴こえてきそうである。それどころかモデル自身が作品の出来映えに満足したに違いないという確信さえ湧いてくる。しかしゴッホの模写は、どう見ても生気を失った老婆にしか見えないのである。描き方も粗雑である。またミレーの『掘る人』には、痩せた土地に力強く鍬やスコップを突き立てる二人の農夫の姿が描かれていて、暗く静かな雰囲気の画面から彼らの断固たる決意がひしひしと伺えるのに対し、ゴッホの模写では、スコップに掛けた足にすら微塵の重力も感じられない。これがあのゴッホなのか、と言いたくなるほどだ。

しかし二十七歳で絵描きになろうと決意したこの大天才は独学で地道な努力を重ねるのである。一八八〇年ブリュッセルでの修行を契機として、八三年からはオランダ、ニューネンの実家で創作に励み、初期の名作『じゃがいもを食べる人々』を描いている。一八八五年、三十二歳の時に父親が亡くなると、アントウェルペンを経て、翌八六年にはパリに移り住む。そこで多彩な印象派の画家たちに、そして日本から輸入された浮世絵に触発される。この頃から大作家としての片鱗が見えてくる。浮世絵に心を奪われたゴッホは、光が日本に似ているに違いないという理由から南仏へと移る。実際に南仏が日本に似ているはずはないと思われるが、ゴッホにとってそこは日本であったのだ。浮世絵に想を得た大胆な構図の絵や、明るい色彩の絵が次から次へと生み出されていった。点描画の展示の前には影響を受けた画家としてスーラやシニャックの作品が、浮世絵とミレーを真似た油彩画『種まく人』の鑑賞のためには歌川広重や国芳の浮世絵に加えて、カイユボットが描いた、バルコニーの手摺越しに街の往来を眺めるという大胆な構図のアールヌーボー風な『バルコニー越しの眺め』などが展示されて理解を助けていた。

展示はゴッホの足跡を辿ってアルル、サン＝レミから終焉の地オーヴェール＝シュル＝オワーズへと続いていく。そして展覧会は死のおよそ二ヵ月前に描かれた『アイリス』で終わっていた。展示を企画した学芸員の力量が見える展覧会であったように思う。最近の展覧会はどれも、ただ作品を展示して、鑑賞は来場者まかせというのではなく、この「ゴッホ」展のように、ある視点から展示を構成し、また本展における『アルルの寝室』のように、モデルとなった部屋を実物大で会場に再現し、それを画家がどう捉えたかを考えさせるというような、様々な工夫が凝らされているように思う。一例をあげると、二〇〇九年に同じ九州国立博物館で開催された「阿修羅」展では、あの国宝、阿修羅像が三百六十度どこからでも観賞できるように展示されていた。左右の顔も正面から見ることができたのである。現在、阿修羅像は本来の住まいである奈良、興福寺の国宝館に展示されているが、われわれは正面から観賞できるだけである。

また、ルーブル美術館のようなヨーロッパのグランド・ギャラリーでは、作品をゆっくりと一点ずつ鑑賞していたのでは、時間はどれだけあっても足りない。本気で見ようと思えば数週間を要するに違いない。しかし日本の企画展では半日で鑑賞できるくらいの量が展示されていて、体力のことを考えずに集中して鑑賞することができる。若い頃ならともかく、五十歳を過ぎれば、ありがたいと思えてくる。

当日の会場の印象についても一言。ゴッホの展覧会ということで、大勢の人出が予想されるにも関わらず会場はとても狭かった。作品と作品の間隔も通路の幅も。会場がひとつのスペースで収まらなければ二カ所に分けてでもスペースを確保できないかというのが私の願いである。

最後に、展覧会最後の作品であった『アイリス』について思い出を一つ。一九九八年の秋から冬にかけて私はアムステルダムに滞在した。二十世紀を代表する建築家の一人であるリートフェルトの設計で有名なファン・ゴッホ美術館は、改装そして黒川紀章設計の新館建設のため休館中であった。このチャンスにとばかり世界中のギャラリーでゴッホの大回顧展が開催されていた。しかし主要な作品は隣接するアムステルダム国立美術館の別館で展示されていたのである。この展示に私は何度も通ったのであるが、一番印象の強かった作品が、この『アイリス』であった。

この作品をはじめて見たとき、私は釘付けになってしまった。そして身体がだんだんと熱くなるのを感じた。理由はわからなかった。二度目の訪問では会場に入るなり『アイリス』を目指した。まず『アイリス』を見て、気持ちを落ち着かせてから他の作品を……と思ったのである。ところが『アイリス』には先客がいた。抱き合った若いカップルが『アイリス』を見詰めながら息も絶え絶えにキスし合っていたのである。今にも服を脱ぎ出しそうな雰囲気である。私は固まってしまった。しかしさすがはオランダというべきか、周囲の人たちは気にする風でもない。この絵の前ではこのようなことも日常茶飯なのか、と思ったりした。

今回の展覧会でも、「きれいね〜」「見飽きないわね」「何でこんなに美しいんだろう」といった声がそこら中から聞こえてきた。アムステルダムでの最初の出会いを思い出しながら、改めてこの絵の持つ底知れないエネルギーを感じたことだった。

「オランダ・ハーグ派」展

二〇一四年一月、下関市立美術館で開催された「オランダ・ハーグ派」展を鑑賞した。

ハーグと言えば、一八九九年、第一回の国際平和会議が開催された場所として、また国際司法裁判所の所在地として、あるいは国際間の児童連れ去りについて定めた一九八〇年採択のハーグ条約などで知られているのではないか。オランダの首都はアムステルダムであるが、上記からもわかる通り、行政の中心はハーグである。

美術史上ハーグ派と呼ばれるのは、一八七〇年頃から一九〇〇年頃まで活躍した画家たちで、当時のハーグは現在とは違って、田園風景を残すのどかな場所であった。画家たちはそうした風景や素朴な人々の生活を描き留めたのである。そして彼らの先行者はバルビゾン派の画家たちであった。ハーグ派の多くはフランスへ出て修行している。言うまでもなく当時、芸術の都はパリであったからだ。彼らは、バルビゾン派に学んで帰国した後、オリジナリティを探し求めたのである。

展覧会は、「序章：バルビゾン派」、「ハーグ派」、「終章：フィンセント・ファン・ゴッホとピート・モンドリアン」という三部構成になっていた。まずは先行した師匠たちの作品から、という訳だ。日本でバルビゾン派といえば、ミレー、コロー、クールベが三巨匠という印象がある。もちろん三巨匠の作品も展示されていたが、面白いのは、それらがいずれもハーグ市立美術館所蔵の作品だったことである。ハーグ派蒐集の総本山であるハーグ市立美術館は、先行者であるバルビゾン派の作品もコレクションしているのだ。

そんなバルビゾン派のコーナーで、いきなり私の眼を惹いた作品があった。ジョルジュ・ミシェル『パリ近郊の風景』。これはオランダ絵画ではないか、そう思ったのである。理由は簡単だ。画面の上部半分以上を空に充てる構成は、ヤーコプ・ファン・ロイスダールなどの名前を持ち出すまでもなく、十七世紀以来のオランダ風景画の伝統である。それはネーデルラント（低地国）という名の平坦な国土に暮らす彼らに、風景はそのように見えているからだ。またコンスタン・トロワイヨンの『近づく嵐』では、厚く黒い雲が迫って来るなか、飼い主の母娘から厩舎へと導かれる二頭の牛が描かれているが、嵐が来る前に追い立てられるという感じではなく、雨が降る前に家に入りましょうというような長閑な趣で、やはり十七世紀オランダの国民的風景画家と言ってよいアルベルト・カイプを思い起こさせた。さらには、寝かしつけた赤子の傍らで、蝋燭の灯を頼りに編み物をしている母親の図や、厨房でバター作りに一心に取り組む若い女性の図。女性は頭に青いターバンを巻いており、足元には構ってくれとじゃれつく犬が描かれている。いずれもミレーの作品であるが、既にバイアスのかかった私には、十七世紀オランダの大作家フェルメールが思い浮かんでくるのだった。

こうなると、バルビゾン派の画家の中には、十七世紀のオランダ絵画から学んだ者が少なくないのではないか、という考えが俄かに湧いてくる。私は展覧会の企画にまんまと乗せられたのだろうか。確かに、アメリカより一世紀も早く市民による独立を果たし、絵画だけでなく、あらゆる面でオランダが全盛時代となった十七世紀、芸術の主題は、王侯貴族たちの絢爛豪華な風俗や神話や歴史ではなく、市民たちの素朴な生活や日常の風景であった。それならオランダ、フランスそしてまたオランダと芸術の中心地は回帰したのだろうか。そうではない。バルビゾン派の後、パリには印象派が登場し、フランスは中心であり続けた。オランダはそうはならなかったのである。オランダでは、ずっとそのようなスタイルが伝統であり続けたのだ。

例えばバルビゾン派のコーナーに展示されていたヨハン・ヨンキントの二作品。何より彼はオランダ人である上に、最初の作品『デルフトの眺め』は、先に述べたオランダ人特有の画面構成で描かれている。それより、そもそもオランダの風景が題材にされている。彼こそがハーグ派のトップバッターではないのか。一八四四年に制作されたというだけで、バルビゾン派に分類されているのではないか。これは今回の展覧会で私が最も気に入った作品でもあった。水面と地面との高さが逆転したようにも見える画面は、立体感覚が悪いのではなく、実際にこうであって、低地に暮す人々には、そのように見えているのだ。画面から私たちが感じるような不安定さではなく、オランダ人であれば、落ち着いた日常の空気を感じ取るに違いない。もう一つは、一八七八年に制作された『シャトー・ミーウング』という作品。川辺の城と、庭に佇む人々、のんびりと移動する牛たちが描かれている。やはり画面の半分以上を、やさしい雲のかかった青空が占めていて、オランダ風景画の画面構成である。しかし描き方はスーラを思わせるような点描法である。フランス永住を果たしたヨンキントは、一八六〇年代にはクロード・モネと親しくなり、師匠と仰がれるほどの存在となっていた。そうであるなら、彼はハーグ派ばかりか印象派の先行者ということにもなるのではないか。

さて、展覧会の本編となる第二部「ハーグ派」。展示は「風景画」、「大地で働く農民」、「家畜のいる風景」、「室内と生活」、「海景画」の五章に分けられていた。これはそのまま十七世紀のオランダ絵画の展覧会に適用できる章立てと言ってよいだろう。

「風景画」。数点の展示から感じるのは、描かれた大きな空や水面は、昔も今も変わらないということだ。季節によって、青空に綿菓子のような雲が浮かんでいたり、青空を上下に分断するかのように平らな雲が幾重にも連なっていたり、重く暗い鉛色の雲が立ち込めていたりする。それを反映している水面。どれもオランダの風景である。

次は「海景画」。空と海と帆船、遠くに塔だけが浮かび上がっている教会。遠くに浮かぶ帆船のマストはシルエットとなった塔のようにも見える。彼らの平らな風景の基点には垂直の塔が配されることがわかる。浜辺の風俗を描いた絵画はバルビゾン派にもあるだろうが、このように海を描いた作品はない。

風俗を描いた「台地で働く農民」「家畜のいる風景」「室内と生活」とテーマを掲げられた作品群も、フェルメールへのオマージュと思われるヨーゼフ・イスラエルスの、聖書を手元に窓の外へ目をやる少女を描いた『日曜の朝』や、窓から差し込む日の光を頼りに作業に没頭している『縫い物をする若い女』、またヤン・ステーンを思わせるブロンメルスの『室内』など、オランダ独特のものだと思われた。

この章を通して感じたのは、オランダの人々は、自分たちの生活や風景を、数百年にわたって守っているということである。

オランダと日本を較べてみれば、着ている衣服が、着物から洋服へと変化し、髪型も、髷や日本髪から現代風に変化した日本に対し、オランダには、それほどの変化はないと思われる。日常生活についても、食事をはじめとして、それほどの変化はないように思われる。心情もさほど変わってはいないように思う。また風景にしても、「地球は神が創ったがオランダはオランダ人が創った」という諺があるように、干拓を重ねて土地を創造し、国土の四分の一が海面下に位置するような、水に囲まれた国土に暮らす国民であるということに、安らぎや郷愁を憶える人々であるということがわかった気がした。

「終章：フィンセント・ファン・ゴッホとピート・モンドリアン」。まず、ゴッホである。一八八二年に鉛筆やペンで描かれた三点の風景画や人物画。これらは確かにハーグ派の絵画である。しかしゴッホが所謂ゴッホになる前の絵であり、教えて貰わなければゴッホの作品だとはわからない。しかし一八八五年に油彩で描かれた農民の絵や農婦の肖像画の前では自然と足が止まった。ハーグ派というよりはゴッホそのものの作品だったからである。

モンドリアンも同様だ。シルエットとなった風車のみを描いた『夕暮れの風車』とデフォルメされた風車のみを描いた『ドンビュルクの風車』の二作品は、ハーグ派に連なるというよりは、彼の代表作となった『ブロードウェイ・ヴギ・ウギ』や「コンポジション」シリーズのような、デジタル化を先取りしたかのような、それよりは見越していたのではないかと言いたくなるような作品群の萌芽のように思われた。また『ダイフェンドレヒトの農場』『アムステルダムの東、オーストザイゼの風車』という二作品には、画題や構図そして色遣いにハーグ派らしきものが感じられるけれども、木漏れ日のなかに浮かび上がる大木の枝の表現や、周りの景色を反映している水面の表現など、ハーグ派のやさしい素朴な表現からは、もはや逸脱していると言うべきではないかという印象だ。

やはり、これら二人の作品はハーグ派を超越している。ハーグ派の影響があったとしても、後に彼らが示した独創性は、それを遥かに上回っていると私には思われた。このコーナーでは、バルビゾン派の後、フランスに印象派が生まれたように、ハーグ派からも圧倒的才能が生まれたのだと訴えているように感じられた。

鑑賞を終えた私は、ホイジンガの『レンブラントの世紀』を思い出した。一九四一年に出版された本書の冒頭には、現代オランダ人が十七世紀オランダ文化について持っている知識の圧倒的部分は、視覚芸術からの印象によって形作られていると述べられているが、自国がドイツに蹂躙される運命にあるなかで、人々の暮らしや自分たちが創り上げた風景を描いた、これらの絵画に示されている通り、われわれは断固としてオランダ人である、と彼は言いたかったに違いないと思ったことだった。

「風景画の誕生」展

随分と前から楽しみにしていた『ウィーン美術史美術館所蔵「風景画の誕生」』展を開催間もない平成二八年（二〇一六年）四月十四日、久留米市の石橋美術館で鑑賞した。展覧会は六月十二日まで開催されていたから、熊本地震（前震はその夜だった）が起こらなければ、私はあと一度か二度、久留米に足を運んだはずであるし、この文章も、もっと早く記したはずである。

それはさておき、私は自分の風景画との出会いをはっきり憶えている。中学一年の春、美術の教科書でブリューゲルの『雪中の狩人』を見たときである。たくさんの人物や動物たち、御伽の国のような建築群、それらは私の知らない世界であったが、それでいてどこか懐かしいような気がした。冬の景色を描き尽くした画面は完璧な構成で舞台セットのようにも感じる。この絵はある劇の一場面を描いたものかも知れない。また一五六五年という制作年にはリアリティが感じられず、一五六五年の風景を描いた現代絵画ではないかと思ったりした。このように『雪中の狩人』は、様々な感想を私にもたらした。

私はこの絵に集中していたのだ。このとき私は、芸術鑑賞とは何であるのか、感覚的に掴んでいたと言ってよいかもしれない。芸術を楽しむとは、時間を忘れて作品に入り込むことなのだ。そして自らの言葉でそれを表現することなのだ。ざっくり言えば、好きか嫌いか、であるが、それは何故か、と自らに問い考えることが少なくとも私の場合は芸術を楽しむということなのだ。考えるのはもちろん言葉によってである。私が『雪中の狩人』に立ち止まり長いこと画面に見入ったことは間違いない。これが私と風景画との出会いであった。

『雪中の狩人』は、カレンダーの如く一年の風俗を描いた連作の一枚である。その連作の多くは本展覧会の展示作品を所蔵するウィーン美術史美術館に展示されている。今回、ブリューゲルの系譜に連なるそうした連作の風俗画も展示されているとのこと。しかも展覧会のチラシを飾るのはルーカス・ファン・ファルケンボルフの『夏の風景(七月または八月)』という一五八五年の作品であった。構図は驚くほど『雪中の狩人』に似ている。私の期待は膨らむばかりだった。

さて、会場へ。まずはヨアヒム・パティニールの作品から。彼は、アルブレヒト・デューラーが一五二〇年、五十歳の時に記した『ネーデルラント旅日記』に〝親方〟として登場する画家である。図録によればデューラーは彼のことを「よき風景画家」と呼び、それが基になって彼は、「後にフランドルにおける最初の『風景画家』と呼び習わされることになる」のだ。一五一五年に制作された作品『聖カタリナの車輪の奇跡』を見ると、全体の構成から細部の緻密な描写まで流石というべき画面である。美術史にいうところの「世界風景」が描かれている。遠くに見える奇想天外な岩山や様々な建築様式の城や教会や塔など、岸辺には碇泊する船に混じって座礁した帆船も描いてあり、その意味は何かと考えさせられる。画面奥に配された奇岩は、京都、伏見の東福寺方丈の南庭に配された巨石の如き形状であるが、画中のそれは、高さ数百メートルはあるだろう。そしてタイトルである「聖カタリナの物語」として、跪いて祈るカタリナはもちろん、火炎に包まれて燃え落ちる大きな車輪、マクセンティウス帝によって焚刑に処せられる哲学者たちを見守る群衆などが異時同図法を用いて描かれている。縦二十七センチ、横四十四センチとさほど大きい絵ではないが、他にもたくさんの風景や物語がこれでもかと言うほど微細に精緻に描き込まれていて、見飽きることがない。

展覧会のチラシを飾ったファルケンボルフの『夏の風景（七月または八月）』。図録の作品解説の初っ端に「およそ10歳年長のピーテル・ブリューゲル（父）の後に従う最も優秀な風景画家の一人である」とある。やはりそうだった。制作されたのは、あの『雪中の狩人』から二十年後である。パティニールからはすでに六十年が経過し「世界風景」ではなく、そこにあるものとしての風景が描かれている。もちろん想像の風景もたくさんの物語も描かれてはいるが、美術史の範疇では「風俗画」ということになるのであろう。

麦の収穫を題材に、大きな木の下で陽を避けて食事を摂る者、美しい麦畑、収穫に専心する農夫たち、収穫した麦を馬に引かせる者、それらを監督する夫婦、梯子を掛けて木の実を千切る者、羊の群れの番をする者など、遠くには蛇行して悠々と流れる河川と中世都市の眺め、ところどころに散在する風車から、それがフランドルの景色だと理解できる。空にはただ一羽、黒い鳥が描かれている。

私はいま、自分の目に入ってきた順番にこの絵の情景を記しているが、それは、画面左下を手前に設定し、そこから右上の遠景へと、鑑賞者の視線が自然に流れていくように構成した画家の意図に乗せられてのことである。この風景への招待は、季節こそ違え、まぎれもなくブリューゲルの『雪中の狩人』と同じである。

レアンドロ・バッサーノの月暦画連作は十点が展示。集中して作品に見入るため、疲労は極限に。ウィーン美術史美術館で一日かけてブリューゲルの連作を鑑賞した三十代の頃、私は疲労など微塵も感じなかった。しかしやがて還暦を迎える身には堪える。パティニールの一作ならとことん細部にまで付き合うことができるが、バッサーノの作品すべてと同様に付き合うことなど現在の私の体力では無理である。

私はウィーン美術史美術館を何度も訪れ、ブリューゲルをはじめとするフランドル絵画の展示室はくまなく歩いたつもりであるが、この画家を知らなかった。もしかすると作品は常設展示されていないのではないか。あるのであれば、ブリューゲルの印象が強すぎて記憶に残っていないということであろう。いや、こう書いていて思い出した。この絵も悪くはないが、ブリューゲルは格が違うと思ったことを。毎月の星座、手前に配された各月を代表する風俗と人物の配置、衣装や道具あるいは動物たちの繊細な描き込みなど、それらはどれをとっても、世界のすべてを絵画で表現させ自らの手元に置きたいと願ったルドルフ二世の要求に合致していると思えてくる。この月暦画連作を一堂に並べて、「この世界の支配者は私だ」と悦に入るルドルフ二世のふっくらとした顔が思い浮かびもする。

これが一点か二点の展示であれば、画中に入り込み、私も仲間入りして、人物たちが何を語り合っているのか聞いてみたいと思うのだが、それをやっていたら今日の鑑賞が最後まで行きつかないことは明らかだ。私は、また来ればいいか、と思い、とにかくすべての作品を眺めて帰ろうと思った。ヤン・ファン・ホイエン『メルヴェデ川越しのドルトレヒトの展望』は、私にとっては、なつかしいオランダの風景を描いた作品で、ひと目でオランダ人画家だとわかる絵画である。理由は簡単で、画面の上部四分の三近くを空が占めているからだ。色彩から秋の北海沿岸の移ろいやすい空模様を描いているように思える。回答を得るべく図録を捲ると、彼は十七世紀を代表するオランダの最も重要な画家の一人であること、師匠はファン・デ・フェルデであること、作品は一六四四年の制作であること、またドルトレヒトの風景を描いた彼の作品は四十点にも及ぶこと、そして画面全体を彩る茶色と黄色の色調トーンは一六四〇年代のファン・ホイエンに特徴的であること……などが記されていた。オランダの全盛時代、交易の要衝地でもあったドルトレヒトで財をなした新興商人が彼の顧客だったのだろう。絵を眺めていると、初冬の鉛色の空の下のドルトレヒトの街並みが甦り、また訪問したいと思ったことだった。

ロイスダールの『渓流のある風景』はスカンジナビアの自然を描いたものであるが、オランダ人の彼は一度もスカンジナビアを訪れたことはない。渓谷の水の流れは、低地国オランダの人びとにとって一種のあこがれである。彼自身、話に聞いた美しい風景を画面に描いたのであろうが、彼の作品の購入者たちは、見たこともない理想の自然を居間や食堂の中央に飾りたいと願ったのだろう。

以上、私はフランドルの画家やフランドルの風景を描いた作品ばかりを取り上げてきた。ローマやヴェネチアなどイタリアの風景画も数点、申し訳程度に並んでいたのだが、大半はフランドル地方の作品で、本展覧会の主軸は、そこにあると思われた。

展示は、第I章「風景画の誕生」第1節「聖書および神話を主題とした作品中に現れる風景」第2節「1年12ヶ月の月暦画中に現れる風景」第3節「牧歌を主題とした作品中に現れる風景」第II章「風景画の展開」第1節「自立的な風景画」第2節「都市景観としての風景画」という2章5節で構成されていたが、並んだ作品からすると展覧会のタイトルを「風景画の系譜——フランドル地方を中心に——」とすれば内容はより明確であったように思う。また、そうであれば、事前の私の期待はさらに大きくなったはずである。そして実際の展示は期待以上に私好みであった。それゆえ、熊本地震によって阻まれた再訪問、再々訪問が余計に悔やまれてならない。憎きは熊本地震である。

それから鑑賞中に会場にやって来た九州大学・美術史科の学生たちの鑑賞態度の素晴らしさも印象に残ったので書き留めておきたい。

「バベルの塔」展

ロッテルダムのボイマンス・ファン・ベーニンゲン美術館で、ピーテル・ブリューゲルの『バベルの塔』を初めて見たのは一九九八年の十月だった。このさほど大きくない絵画に描かれた大空間に私は圧倒された。そして画中の塔の背後に隠されていると思われる何かに、胸が苦しくなるほどの大きな不穏さを感じた。背後から太陽に照らされる塔の中層階。特に、厚く黒い雲に覆われた塔右側の回廊に据え付けられた重機や建設機器は、稜線とともに逆光の中で異様なまでに強調され、塔の後ろに隠れている凶兆はますます巨大化していくように感じた。太陽がこちらに向かって突進して来ているのではないかという悪夢のような想像も浮かぶほどで、その正体は何かと、少なくない時間、私は立ち止まって考えたはずである。

しかし、もちろんわからない。旧約聖書のバベルの塔の物語を読めば、神を恐れず、塔を建てて近づこうとする人間への天罰がそこに控えているのだろうと想像はつく。物語では、塔の建設ができなくなるように、それまで一つだった人間の言葉が混乱させられて、建設集団の、あるいは社会の秩序が破壊され、塔は未完に終わるということになるのだが、目の前の絵画は、それが想像を遥かに超えて恐ろしいものであることを教えているようだった。巨大な塔のこちら側では、やがて訪れる災厄を知るはずもない人々が、ただひたすら建築に励み、日常を生きている。そのコントラストも、さらに恐ろしさを際立たせるといった印象だった。

それから三年後、後ろに隠れていたものの正体を見る瞬間が突然訪れた。二〇〇一年九月十一日。忘れるはずもないが、その夜、パソコンに向かい人間学研究会の機関紙『道標』創刊号の原稿を書いていた私は、テレビの中にその光景を見た。ニューヨーク、ワールドトレードセンターのツインタワーの一棟はすでに炎上していた。ニュースキャスターは、これが事故なのか、そうではないのかについて論評を加えていた。そのときである。もう一つのタワーに背後から黒い影が近づき、次の瞬間、巨大な火の玉が四方に飛び散った。これを「デジャブ」というのだろうか、私の脳裏にありありと『バベルの塔』が甦った。高ぶった感情のまま、このことだったのか、と思ったかも知れない。同時にテレビの画面であることから、俄かには現実であると信じることができず、「今日は4月1日ではないはずだが……」と思ったりもした。

ワールドトレードセンタービルは、グローバル化、資本主義を象徴する現代のバベルの塔といってよい。そこに天罰を、というのが、この恐ろしい出来事の啓示だとするならば、神話は、現実を先取りしていることになるではないか。

それから十六年後の二〇一七年、『バベルの塔』は日本にやって来た。最初の巡回先である上野の東京都美術館での展覧会。私は上京したものの、こちらも見逃すまいと臨んだアルフォンス・ミュシャの『スラブ叙事詩』全二十作をチェコ国外で初めて公開した展覧会で、入場するのに二時間も行列したため、時間が無くなり、次の巡回先である大阪展で再会を果たすことになった。

ロッテルダムでの最初の出会いの際、私には何の先入観もなかった。ただブリューゲルのオリジナルを見ることができるというだけで舞い上がっていた。しかし今回は違う。東京展が既に開催され、公式図録も購入でき、NHKの『日曜美術館』や『芸術新潮』なども特集を組んだ。展覧会に先立ち、漫画家の大友克洋氏が、絵筆ばかりかCGも駆使し、バベルの塔をケーキのように切り、内部の構造を描くという試みを果たし、また東京藝術大学では、絵画の立体化（模型化）という試みが果たされた。

そうした挑戦から、例えば、塔は真円形ではなく楕円形で、それは画面における「塔」の配置の落ち着きを考慮してそのようにデザインされたこと、あるいは描かれた人々などの大きさからコンピュータで試算すると塔は五百十メートルもの高さがあることなどが判ってきたのだという。

こうした知識を補充しつつ、私はまた、あの胸が苦しくなるほどの大きな不穏さを感じるのだろうと思いながら会場入りした。しかし、私の構えが大仰だったのか、はじめてみた時のような気分にはならなかった。塔の背後にそれほどの凶兆が潜んでいるとは感じられない。それよりもわずか縦六十センチ×横七十五センチの画面に、千四百人余りの人物と、現実には存在しないにも拘らず圧倒的な存在感を持つ建築を細部まで描き上げたブリューゲルの超人的な技術とセンスに感動した。やがて訪れる災厄を知るはずもない人々が黙々と建築に励み、日常を生きているということ自体に目が向いた。一人ひとりの力は小さくとも日々の積み重ねが、このような巨大な結果を生み出すことに意識が向いたのである。

どうしてこれほどの変化があったのか。私の気分が変っただけだろうか。ロッテルダムで鑑賞したとき、私は広い美術館の中で誰にも邪魔されずにこの絵画と向かい合った。今回は人々が幾重にも絵画を取り囲むなかでの鑑賞であった。それが印象をこうまで変えるのか。

私の気持ちの変化が、絵画鑑賞に変化をもたらしたのか。自分の気持ち次第で、絵画の印象が変るのは当然としても……。

例えば、私の敬愛する美術史家、宮下規久朗氏は著書『美術の誘惑』(二〇一五年・光文社新書)において次のように述べている。「美術は、単に優雅な趣味の対象であるばかりでなく、社会や文化全般に強く関係するものだ。政治経済と深く関わり、生老病死を彩り、人の欲望や理想を反映する——。西洋でも東洋でも、美術は歴史の局面で重要な役割を果たしてきた。そのような美術は、あらゆる人を惹きつける力がある。」(四頁)ところが、である。「あるときまで、私はここにふれてきたような美術の力を深く信じていた。だが……」「二〇一三年五月に一人娘を喪ってからは、それを信じられなくなったことを告白しなければならない。それまでは、美術は宗教と同じくどんな人も慰め、その心を救うことができると信じて疑わなかったのだが、そんな信念は吹き飛んでしまったのだ。」(一七七頁)「いちばん大事なものを見誤っていたという後悔とともに、美術と同一視して狂信してきた信仰も大きくゆらぎ、それまで私を支えてきた世界観や価値観がことごとく崩壊した。」(一七八頁)それから時が過ぎ宮下氏は、「美術はあらゆる宗教と同じく、絶望の底から人を救い上げるほどの力はなく、大きな悲嘆や苦悩の前ではまったく無力だ。しかし、墓前に備える花や線香くらいの機能は持っているのだろう。とくに必要ではないし、ほとんど頼りにはならないが、ときにありがたく、気分を鎮めてくれる。そして出会う時期によっては多少の意味を持ち、心の明暗に寄り添ってくれるのである。」（一八五頁）と正直な心境を吐露された。

これほどの大きな変化が私自身に起きたとは言わないが……。例えば、二〇〇一年九月、現代世界の中心に繁栄の象徴として君臨していた塔は、一瞬で崩壊した。また二〇一六年四月、私の周囲の人々の日常は、大地震によって一瞬で破壊された。このように日常は一瞬で消滅する。それをブリューゲルは達意の表現で描き上げたのではないか。傑作とはそのようなものであろう。またいつか、この絵画を見たいと思わずにいられない。

展覧会には、『バベルの塔』以外にもボイマンス美術館の至宝ともいえる作品がいくつも展示されていた。一九九八年、『バベルの塔』を最大の目当てにして、ボイマンス美術館を訪問した私は、入館すると、順路の都合で先にヒエロニムス・ボスの『放浪者』を見つけて、ますます気分が高揚したことを憶えているが、この『放浪者』もこの展覧会に出品されていた。絵画の横には風景や個々の人物や動物などについて詳細な説明がなされ、図像学の醍醐味が味わえるように演出されていた。『聖クリストフォロス』もボスの作品である。レプロスという名前の怪力の巨人が、男の子を背負って川を渡るのだが、あまりの重さに、その理由をたずねると、「世界とその創造者を背負ったからだ」と告げられ、それで名を、クリストフォロス（キリストを背負う者）と改めたという伝説は、華があって楽しいが、これがボスの手にかかると、周囲には、殺した熊を木に吊るそうとしている者や、ボス自家薬籠のシンボルである奇妙なモノどもがいくつも付いている白木、そして遠く川の対岸では火災が起こっていたりと、不安を煽るような事柄がたくさん描き込まれることになるのだ。

また、ヨアヒム・パティニールの作品も二点あった。しかも『ソドムとゴモラの滅亡のある風景』は、作品自体の出来映えもさることながら、一五二〇年、アルブレヒト・デューラーがアントウェルペンにパティニールを訪ねた際、贈られたとされているもので、私にとっては特別な絵画である。

そしてピーテル・ブリューゲル一世の版画群。『聖アントニウスの誘惑』や『大きな魚は小さな魚を食う』などの有名な作品が展示されていた。一九八九年、久留米市の石橋美術館で初めて見て以来、何度目かの鑑賞になるが、見飽きない。これは私のための展覧会であると、一人悦に入った。

あとがき

本文では特に触れていないが、オランダでは麻薬や売春も法的に認められている。それは、すべての犯罪者を検挙することはできず、不公平が生じるので、他人の迷惑にならなければ、ある程度は何でもやってよい、というのがオランダの社会的理念だからである。とにかく何でも話し合って妥協点を見出し「コントロール」するというのがオランダの基本方針なのだ。帰国後に読んだ長坂寿久氏の『オランダ・モデル』（二〇〇〇年・日本経済新聞社）にそう教えられた。その後、安楽死も合法化された。その根底には、低地国ゆえの地域協同による治水の伝統とエラスムス的寛容の精神がある。このようなオランダの精神的伝統の雰囲気を、あるいは街並みの様子を、切れ端でもよいから示すことができれば……というのが私の願いである。

「まえがき」でも触れたが、私のネーデルラント訪問、そしてアムステルダム滞在は一九九八年の秋から冬にかけてだったから、二十年以上が経ったことになる。そして私は還暦になってしまった。

訪蘭当時、七十二歳だった母をアムステルダムに迎えたことは、私の数少ない親孝行の思い出であるが、本書を心待ちにしていた母は、二〇一五年に病を得て今は寝たきりである。心の中でいろいろと言い訳をしながら「もっと早く本にしたかったのですが、今になってしまいました」と報告したい。

それから、お世話になった方々にお礼を申し上げたい。まず、三カ月という長期の派遣にも拘わらず、快く送り出してくれた熊本市役所の職場の仲間に感謝の意を伝えたい。私の見聞が具体的な業務に貢献したことなどはなく、申し訳なく思っているが、そんな私が思い出すのは、上下水道局勤務の頃、公道での作業の際に、アムステルダムで見た石畳での同様の作業の様子を伝えると、興味深そうに聞いてくれたことである。旅の醍醐味の一つは、自分の周囲を新鮮な目で見るようになることだと思うが、このような思い出話だけが、職場における私の研修成果なのである。

また出発前、一九九〇年に国際ロータリー財団のグループ研究交換プログラム（通称G・S・E）に参加してデンマークを訪問した際、団長としてお世話になった元・スカンジナビア三井物産社長の増田幸次郎氏からはたくさんの貴重なアドバイスを、熊本大学医学部教授だった山本哲郎先生からはレイデン大学医学部の先生をご紹介いただいた。そして渡辺京二先生からは「とにかく歴史を見てくることだ。あとは、うんと楽しんで来ればよい」と励ましていただいた上に「この本は、読んだかい」と、ホイジンガの『レンブラントの世紀』を渡された。

アムステルダムの隣町アムステルフェーン在住でソニー・ヨーロッパに勤務していた中学校時代の同級生、岩田薫さんには、引っ越しに付き合ってもらったり、キンデルダイクの視察に連れて行ってもらったりと、滞在中、お世話になり通しだった。

その他数えはじめれば切りはないが、多くの人たちの助けによって旅は成り立っている。さらには旅行中に出会った人たちによっても旅は成り立っているのだ。この場を借りて、旅を支えてくれたすべての方に、お礼を申し上げたい。

本書の出版については、前作に続いて石風社そして代表の福元満治氏にお世話になった。今回も丁寧に原稿を読んでいただいた。新型コロナウイルス感染症拡大で、福岡と熊本の行き来もままならなかったが、そんな中でも、本書を作り上げてゆく作業は楽しかった。

そして尊敬する渡辺京二先生に恐る恐るこう申し上げたい。「出発前、先生から伺った通り、歴史に触れ、楽しんで来たつもりです。今頃になってしまいましたが、このようにネーデルラントを見てきました」。それから「何歳になっても成長しないままですが、還暦と退職の記念として本にすることができました」と、こちらは明るく申し上げたい。

初出一覧

第一章「デューラーと共に」『道標』六十七号（二〇一九年・冬）「『ネーデルラント旅日記』を読む」
第二章「水の都の街角で」『道標』四号（二〇〇二年・秋）「アムステルダムの思い出」
『道標』五号（二〇〇三年・春）「晩秋のアムステルダム」
第三章「『レンブラントの世紀』を読む」『道標』六十五号（二〇一九年・夏）
第四章「『チューリップ・バブル』を読む」『道標』六十六号（二〇一九年・秋）
第五章「低地オランダの都市美」
熊本市職員研修センター編「平成十年度海外派遣研修報告書」一九九九年　所収
第六章「水の都の風景」『道標』三号（二〇〇二年・秋）
第七章「その後の映画や展覧会から」
　映画「みんなのアムステルダム国立美術館へ」『道標』四十八号（二〇一五年・春）
「ゴッホ」展　『道標』三十二号（二〇一一年・春）
「オランダ・ハーグ派」展　『道標』四十四号（二〇一四年・春）
「風景画の誕生」展　『道標』五十四号（二〇一六年・秋）
「バベルの塔」展　『道標』五十九号（二〇一七年・冬）

辻 信太郎（つじ しんたろう）

1959年熊本市生まれ。
国立熊本電波高専中退。熊本商科大学卒業。
現在、熊本市役所職員。人間学研究会会員。
著書に『スコール！ デンマーク　塔のある風景』（石風社）

デューラーと共に
ネーデルラント旅日記

二〇二〇年十一月二十日初版第一刷発行

著　者　辻　信　太　郎
発行者　福　元　満　治
発行所　石　風　社
福岡市中央区渡辺通二―三―二十四
電　話　〇九二（七一四）四八三八
ＦＡＸ　〇九二（七二五）三四四〇
http://sekifusha.com/

印刷製本　シナノパブリッシングプレス

ISBN978-4-88344-297-3 C0095